Chère lectrice,

Je parierais que vous êtes sur les starting-blocks pour la grande course des préparatifs de Noël ? Et quel cadeau pour qui ? Et quel menu pour la fête ? Sans parler de la tonne de cartes de vœux qu'il vous faudra bientôt envoyer en prenant grand soin de n'oublier personne… C'est la tradition, avec ses contraintes mais aussi ses joies. Alors, entre deux séances de shopping, *Take a break in the rush !*, prenez le temps de faire une pause, de vous ménager des moments rien qu'à vous pour vous plonger dans les romans passionnants que Rouge Passion a prévus à votre intention ce mois-ci.

Et tout d'abord, puisque c'est de saison, *Les amants de Noël*, où Shep le séducteur découvre qu'une femme est bien plus qu'un beau paquet enrubanné de doré (1243) — très jolie surprise… Une autre histoire auréolée du charme de Noël vous transportera dans le monde de Maggie qui attend l'Amour (*La reine de la fête*, 1245)… Touchante et (diablement) romantique, Colombe a *Mieux que les mots* à offrir à Jonathan : saura-t-il apprécier la jeune femme comme elle le mérite (1244) ?… *Une inexplicable attirance* pousse Adam et Jane l'un vers l'autre ; pourtant, ils sont si différents, apparemment. Avez-vous déjà connu pareille situation (1246) ?… Faith est convaincue d'une chose : si Stone prétend ne l'avoir épousée que pour des raisons pratiques, il a éprouvé la même émotion qu'elle lorsqu'ils se sont embrassés devant l'autel. Et elle ne veut *Pas d'autre que lui* (1247). Reste à amener Stone à lui ouvrir son cœur… « Je t'aimerai toujours », avait chuchoté Gray à Nikki — et à l'époque elle l'avait cru. Mais il l'a abandonnée. Et lorsqu'il revient, Nikki, prise au piège du *Feu du souvenir,* se demande de quoi seront faites les semaines à venir (1248)…

Joyeux Noël et bonne lecture !

La Responsable de collection

Ce mois-ci

Coffret
"3 romans pour le prix de 2"

COLLECTION Rouge Passion

Ne manquez
pas notre coffret
"3 romans pour le prix de 2",
composé de 2 romans inédits
de la collection Rouge Passion,
ainsi que d'un roman de la
collection *Les Historiques*,
spécialement réédité pour vous et
gracieusement offert.

Mieux que les mots

COLLEEN COLLINS

Mieux que les mots

HARLEQUIN

COLLECTION ROUGE PASSION

Cet ouvrage a été publié en langue anglaise sous le titre :
TONGUE-TIED

Traduction française de
CHRISTINE MAZAUD

HARLEQUIN®

est une marque déposée du Groupe Harlequin
et Rouge Passion® est une marque déposée d'Harlequin S.A.

Toute représentation ou reproduction, par quelque procédé que ce soit, constituerait une contrefaçon sanctionnée par les articles 425 et suivants du Code pénal.
© 2002, Colleen Collins. © 2003, Traduction française : Harlequin S.A.
83-85, boulevard Vincent-Auriol, 75013 PARIS — Tél. : 01 42 16 63 63
Service Lectrices — Tél. : 01 45 82 47 47
ISBN 2-280-08272-1 — ISSN 0993-443X

1.

— On va bientôt fermer, ma jolie. Fais un dernier tour de salle, ordonna le cuisinier qui s'affairait devant ses fourneaux.

Ma jolie ? Surprise par cette interpellation, Colombe Lee s'arrêta sur-le-champ de gratter l'étal de bois sur lequel elle s'acharnait. Depuis quatre bons mois qu'elle travaillait au restaurant Davey's comme commis de cuisine, jamais encore Alberto n'avait daigné lui adresser un mot aimable. Pas même un sourire. L'air grognon, le ton bourru, le ventre bedonnant, il lui faisait penser à un Père Noël qui aurait mal tourné !

Force était de reconnaître que, de son côté, elle ne s'était jamais donné beaucoup de mal non plus pour apparaître sous un jour séduisant. Au contraire... Avec ses sempiternelles baskets, sa petite robe en Nylon, ses cheveux tirés en arrière et serrés par un élastique, elle n'incarnait pas franchement l'éternel féminin. Ni même le charme.

— Allez, ma jolie, répéta-t-il, dépêche-toi. Maintenant que Dorothy nous a laissés tomber, il faut que tu mettes les bouchées doubles.

Déjà lasse, Colombe inspira un grand coup. Il traînait dans l'arrière-cuisine une odeur poisseuse de graisse et d'oignons frits, souvenirs des douzaines de hamburgers servis depuis le matin.

Ce soir, Alberto et Dorothy, l'autre serveuse, s'étaient bagarrés. Dorothy, folle furieuse, avait claqué la porte du restaurant en laissant tout en plan. Le cuisinier avait donc besoin que quelqu'un termine le travail. Voilà pourquoi il cherchait à amadouer Colombe : son amabilité était intéressée.

« S'il s'imagine que je suis dupe, il se trompe », ronchonnat-elle en replongeant le nez sur son bloc de boucher.

Courbée en deux sur l'épaisse pièce de bois, elle haussa les épaules et se remit à racler tout en ruminant son amertume.

Qu'était-elle venue faire ici, à Denver, bon sang ? Elle qui détestait les grandes villes, pourquoi s'était-elle ainsi fourvoyée ? La vie y était si lourde... Et ce n'était pas la journée qu'elle venait de vivre — peut-être la plus détestable de ses vingt-six années d'existence — qui allait l'aider à changer d'avis.

D'accord, d'accord, observa-t-elle pour elle-même, elle avait toujours tendance à dramatiser. C'est du moins ce qu'affirmait sa mère. « Disons, corrigea-t-elle en son for intérieur, qu'au hit-parade des journées les plus odieuses de ma vie, celle-ci se classe dans les cinq premières. Dans les *top five* ! »

Démoralisée, elle attrapa le chiffon qu'elle avait coincé sous la ceinture de son tablier et, tout en le rinçant, passa en revue pour la énième fois ce qui était allé de travers depuis le matin.

Pour commencer, sa vieille jeep — qu'elle surnommait Em, en référence à Emily Dickinson, sa poétesse favorite —, avait été enlevée et emmenée en fourrière pour stationnement interdit. Du coup, il lui avait fallu débourser quinze dollars pour se faire conduire en taxi à la fac où, bien entendu, elle était arrivée avec vingt bonnes minutes de retard. Ensuite — et sans doute était-ce ce qui l'avait le plus bouleversée — elle avait dû subir la « punition » du professeur quand elle avait déboulé dans l'amphi, échevelée et en nage. En effet, comme chaque fois qu'un étudiant arrivait en retard, le Pr Geller avait interrompu son cours et pris un malin plaisir à faire l'éloge de la ponctualité, dans le seul but de l'humilier.

Elle rougissait encore de ce qui avait suivi.

Geller l'avait appelée au tableau et lui avait demandé de rappeler à ses camarades les points principaux de sa conférence de la veille. Il s'agissait d'une analyse de l'œuvre de Sherwood Anderson — elle s'en souvenait d'autant mieux qu'elle adorait les romans de cet écrivain, l'un de ses maîtres en littérature. Colombe s'était fixé pour objectif de devenir un jour critique littéraire. Ce projet l'enthousiasmait, l'aidait à vivre… Mais elle savait qu'elle n'avait pas choisi là une voie facile. Il lui arrivait parfois, d'ailleurs, de connaître des moments de découragement — d'autant que les autres étudiants, parce qu'elle était plus âgée qu'eux et s'habillait *cheap*, la tenaient à l'écart. Etait-ce sa faute si elle avait dû s'occuper de sa mère après son accident ? Non. Etait-ce honteux de manquer d'argent ? Non plus. En ce qui la concernait, les choses étaient ainsi et elle les acceptait sans aigreur. Et sans en vouloir à personne.

Mais quand Geller l'avait interpellée, elle était restée clouée sur son banc. Elle, parler devant un amphi plein d'étudiants prompts à se moquer ? C'était proprement impossible. On ne pouvait pas lui imposer pire affront. Alors, elle avait réfléchi très vite et s'était dit que la meilleure tactique à adopter consistait encore à amadouer Geller en faisant valoir l'incident de la fourrière. Peut-être se montrerait-il compréhensif ? Peut-être aurait-il le tact, après cela, de ne pas insister pour qu'elle s'exprime devant cet auditoire ? Un exposé oral serait une épreuve pour elle mais aussi pour tous les étudiants.

Elle s'était donc approchée mais, à peine avait-elle prononcé la première syllabe de *fourrière* que, d'un index implacable, il lui avait désigné le tableau. Pire, il avait descendu les trois marches de l'estrade sur laquelle trônait son bureau, pour monter se poster dans les gradins. De là, d'un ton sans appel, il l'avait informée que tout refus de sa part de se plier à l'ordre qu'il lui avait donné se solderait par un zéro — éliminatoire pour l'examen.

Elle n'avait donc pas le choix. Elle s'assit, mortifiée. Ce serait vite fini, se dit-elle pour s'encourager.

Elle avait inspiré profondément et s'était penchée vers le micro. Et le fiasco avait commencé, comme elle s'y attendait...

— Sherwood An... An... An...

Impossible d'aller plus loin. La syllabe était comme coincée dans sa gorge. Une foule d'yeux interdits la regardèrent avec pitié.

— Sherwoo... Woo... Woo, bégaya-t-elle de nouveau.

C'était sans espoir.

Elle jeta à son professeur un regard désespéré. Le front plissé, ses sourcils broussailleux se rejoignant au-dessus de son nez, il semblait très cruel. En intellectuel pontifiant qu'il était, il ne paraissait pas disposé à se laisser émouvoir par la détresse d'une petite étudiante.

Et zut ! Les professeurs possédaient peut-être le savoir, mais la commisération envers l'espèce humaine, ils ne connaissaient pas.

Lèvres pincées, pâle, elle s'était retournée d'un bloc, bousculant maladroitement la chaise du maître, et avait

10

dévalé les marches de l'estrade en trébuchant. Le visage fermé, elle avait jeté un regard affolé vers sa place dans l'amphi en faisant semblant de ne pas voir les paires d'yeux qui la dévisageaient puis, se ravisant, elle avait filé vers la porte de sortie qu'elle avait ouverte d'un violent coup d'épaule.

Enfin échappée de ce lieu de torture pire encore qu'un enfer, elle s'était empli les poumons d'une énorme bouffée d'air.

Et elle s'était mise à marcher.

C'était septembre. Il faisait frais. Les premières feuilles mortes s'écrasaient sous ses pas. Tant pis pour elles, pensa-t-elle rageusement, presque contente de les mettre en poussière. Après tout, pourquoi n'y aurait-il que ses rêves à être réduits en miettes ? Parce que ce n'était pas la peine de faire l'autruche : dans une semaine, elle devait faire un exposé devant toute la classe de psychologie. Quelques jours plus tard, il y aurait la séance de travaux dirigés sous la houlette du malfaisant Pr Geller, ce vieux sadique qui serait trop content de la supplicier de nouveau, juste pour l'exemple. Ou pour le plaisir… Non, décidément, ce n'était pas la peine qu'elle insiste. Clairement, elle était condamnée, fichue : il ne lui restait qu'à tout abandonner.

Complètement abattue, sanglotant presque, elle traversa le campus et prit la direction des bureaux de l'administration. Jamais plus, c'était décidé, personne ne lui infligerait l'humiliation de parler, ou plutôt de tenter de parler, en public. Non, plus jamais elle ne subirait cette infamie.

— Ma jolie, quand je te demande de faire un dernier tour de salle, je voudrais bien que tu t'agites, aboya le cuisinier. Qu'est-ce que t'attends ?

L'ordre d'Alberto, tout en la réveillant de son cauchemar, raviva, par sa brutalité, la blessure encore à vif depuis ce

11

matin. Mais il y avait déjà bien assez de catastrophes dans l'air depuis l'aube pour qu'elle prenne le risque d'en ajouter une en perdant son travail.

Docile, non par nature mais par nécessité, elle s'apprêta à faire ce qu'Alberto lui demandait.

Dans une alcôve, il y avait effectivement un client. Curieusement, songea Colombe, il avait quelque chose de Johnny Dayton, le tombeur de Buena Vista, la petite ville du Colorado dont elle était originaire. Johnny avait été le copain de son frère aîné, autrefois. Un peu voyou sur les bords, ou s'ingéniant à le faire croire, Johnny vivait à l'époque dans un appartement de La Terrasse, sorte de cité défavorisée, un peu à l'écart de la ville. Il était pauvre, c'était certain, mais avec ses grands yeux bleus et son sourire en coin, il avait un charme qui le rendait irrésistible. A six ans — Colombe s'en souvenait parfaitement — elle frémissait de joie chaque fois qu'elle le voyait arriver chez eux.

D'un geste nerveux, elle ôta son tablier maculé de taches, attrapa la cafetière et fonça dans la salle avec le stoïcisme d'un condamné à mort. *C'est bientôt fini. C'est bientôt fini,* s'encourageait-elle tout en marchant, tandis que ses baskets couinaient sur le revêtement de sol en lino.

C'était horripilant, ce bruit. Et ridicule !

Comme elle approchait de l'alcôve où s'attardait son dernier client, un couple, affalé sur une banquette et qu'elle n'avait pas vu, se redressa. Il s'agissait de Jillian Marcum et de son petit copain. Le plus naturellement du monde, elle leur proposa du café. Mais au lieu de répondre oui ou non, Jillian se mit à glousser.

— Oh, c'est toi ?... , dit-elle en pouffant. La fille qui...

Oui, c'était elle. La fille qui bégayait.

Toute sa vie, Colombe avait fait les frais de la curiosité des gens, de leur grossièreté. De leur bêtise. Un jour — elle avait dix ans —, comme un gamin de son âge se moquait d'elle, elle lui avait jeté à la figure que son bégaiement était son originalité et, sans se démonter, elle avait ajouté : « Et toi ? Tu as quoi d'exceptionnel ? »

Quand elle se mettait en colère, vraiment en colère, les mots s'échappaient de sa bouche sans se bousculer ni se heurter. Hélas, cela ne lui ressemblait pas de piquer des rages. Si telle avait été sa nature, sa vie en aurait été facilitée.

Colombe dévisagea Jillian Marcum, outrageusement maquillée comme d'habitude. Jillian assistait au cours du Pr Geller quand l'incident s'était produit, ce matin. C'était une étudiante très sûre d'elle, qui parlait fort, aimait à se faire remarquer, et arborait chaque jour ou presque des tenues nouvelles, voyantes, achetées à prix fort dans les boutiques les plus tendance de la ville.

Ce soir, Jillian avait vraiment forcé son talent. Voulant sans doute ressembler à un top model du dernier numéro de *Vogue*, elle s'était sanglée dans un ensemble de cuir noir, riveté au col et aux poignets, et si serré que Colombe s'étonnait qu'elle puisse encore respirer.

Jouant les indifférentes, Colombe esquissa un sourire et agita la cafetière d'un geste qui signifiait : Voulez-vous du café ? A force, elle était passée maîtresse dans l'art de substituer le mime aux paroles.

Diabolique, Jillian fit mine de ne pas comprendre.

— Qu'est-ce que tu veux nous dire ? susurra-t-elle.

Ah, elle voulait l'obliger à parler, songea Colombe, abattue... Ce matin, elle n'avait eu d'autre choix que de s'incliner devant le Pr Geller ; ce soir, allait-elle échouer aussi devant Jillian Marcum ? Non ! Elle allait faire une ultime effort, un dernier essai. Elle refusait de finir la journée sur une dernière touche désastreuse.

Elle inspira donc un grand coup et se lança.

— Voulez-vous du caf... caf... caf...

Ses lèvres avaient beau bouger, s'arrondir, s'étirer, les mots ne venaient pas. Et pour cause !

Elle bégayait désespérément.

C'était un enfer, un enfer contre lequel elle ne pouvait rien sauf se taire.

La mort dans l'âme, elle finit par se résigner. Comme toujours. Ce soir encore, humiliation, blessure, déception seraient son lot. Comme elle aurait donné cher, pourtant, pour impressionner Jillian, pour faire preuve d'éloquence devant elle et pour lui confier ses rêves et ses projets. Ensuite, Jillian serait allée raconter aux autres qu'elle, Colombe, n'était pas qu'une fille mal ficelée et bègue mais une étudiante brillante et ambitieuse...

Elle serra le poing et, d'office, versa du café dans les tasses. Puis elle tourna les talons, vite, pour que Jillian ne puisse soupçonner sa peine.

Mais, comme elle se dirigeait vers l'autre alcôve, là où, le nez plongé dans une masse de documents, le sosie de Johnny lisait, Colombe entendit Jillian s'esclaffer :

— Pas étonnant qu'elle n'ait pas de flirt, la pauvre !

Colombe s'arrêta net. Ça c'était trop fort ! Alors, parce qu'elle ne s'exprimait pas comme tout le monde, on en concluait qu'elle n'avait rien pour attirer l'attention ? Et parce qu'elle ne se moulait pas dans des fourreaux de cuir, on en déduisait qu'elle n'avait rien qui attire un homme ? Bègue et moche sous ses fringues, c'était ça ?

Soudainement remontée, elle s'avança d'un pas décidé vers l'homme absorbé dans la lecture d'une tonne de papiers. On allait voir de quelle opération de séduction elle était capable ! Oui, elle allait montrer à Jillian Marcum que Colombe Lee, la fille timide qui avait mangé sa langue, l'animal de foire, avait plus de tempérament et de succès que toutes les Jillian Marcum de la terre.

Et que cela se sache à la fac !

Tout en avançant, Colombe défit les deux boutons du haut de sa vilaine robe. Arrivée près de la table du monsieur qui ne faisait que lire, elle se pencha plus que de raison pour servir son client et exhala un soupir de femme fatale.

— C'est du décaféiné ? s'enquit-il sans même lever les yeux de ses documents.

Ah… Il allait falloir forcer la dose. Colombe se pencha encore. Décidément, songea-t-elle alors à travers la vapeur qui montait de la cafetière, il ressemblait à Johnny. Enfin, un peu. Johnny, lui, ne manquait jamais d'adresser un sourire à quiconque l'approchait. Et quel sourire !… Rayonnant comme des milliers de soleils, elle s'en souvenait bien. Et puis cet homme-ci avait l'air un peu musclé pour être Johnny.

Enfin, il se décida à lever les yeux.

— C'est du décaféiné ? demanda-t-il.

Elle haussa les épaules. Quelle cafetière avait-elle prise ? Pour être tout à fait honnête, elle l'ignorait et c'était là le cadet de ses soucis. Pour l'heure, elle n'avait qu'une idée en tête : attirer le regard de l'homme sur son décolleté.

C'était urgent !

Bien décidée à obtenir ce qu'elle cherchait, elle se pencha en avant, franchement plus qu'il n'en était besoin, et soupira de nouveau, l'air languide.

Cette fois, le poisson fut ferré… L'inconnu venait de plonger dans l'échancrure de la robe. Brusquement, comme pris en faute, il s'arracha à cette vision et releva les yeux.

Colombe ne bougea pas. Mais elle se mit à frissonner. Son plan marchait du tonnerre. Là-bas, Jillian et son copain la regardaient et échangeaient leurs impressions. Probablement des phrases du style : «Elle est incroyable ! Tu as vu comme elle s'y prend… » Aiguillonnée, elle eut soudain envie de couronner d'un vrai triomphe son coup de bluff. Rien que pour se prouver — et prouver à cette pimbêche de Jillian — que Colombe Lee les valait tous en audace, quand elle le décidait. Tous, Jillian et ses admirateurs y compris.

Sans quitter des yeux son client qui la regardait sans trop bien comprendre, elle posa la cafetière sur la table voisine. Puis, elle s'assit sur les genoux de l'inconnu, bomba le torse comme elle avait vu Elisabeth Hurley le faire dans un film, ôta l'élastique de sa queue-de-cheval et s'ébouriffa les cheveux à la lionne.

Essai transformé ! Les magnifiques yeux bleus se mirent à étinceler comme les pampilles de cristal taillé d'un lustre illuminé. Gêné tout de même, l'homme fronça les sourcils. Ses lunettes glissèrent sur l'arête de son nez.

— Mais… On se connaît ?

Chut ! Il allait tout gâcher, avec sa question idiote. Si Jillian l'entendait demander à Colombe qui elle était, c'était raté. Pire encore, c'était la honte !

Prête à tout pour le faire taire, elle n'hésita pas à poser les lèvres sur les siennes, l'obligeant au silence. Elle l'entendit alors grogner.

Il devait appeler à l'aide, pensa-t-elle.

Effrayée à cette idée, elle écrasa ses lèvres encore plus fort, lui prit le menton dans le creux de la main et se mit à lui caresser les cheveux. Alors, peu à peu, il se détendit. Ouf, la bête se laissait apprivoiser… Mieux — en tous cas, plus inattendu — ladite bête, non contente d'apprécier le contact de ses lèvres sur les siennes, la caressait de sa langue…

Mon Dieu ! Cet inconnu était en train de lui rendre son baiser !

Dans quelle situation venait-elle de se mettre ? Avait-on idée d'embrasser un parfait étranger, comme cela, en plein restaurant, sans rien savoir de lui ? Elle était devenue folle. Folle à lier ! Mais que faire, maintenant ? Elle ne pouvait plus reculer, ou elle perdait la face. Elle ne pouvait plus… ne pouvait plus… ne pouvait plus… « Relax, s'ordonna-t-elle, détends-toi, embrasse-le, n'arrête pas. Que Jillian te découvre ! Qu'elle raconte à toute la fac ce qu'elle a vu et qu'enfin le bruit coure que Colombe n'est pas une laissée-pour-compte ! »

Mais au fait, Jillian la regardait-elle toujours ?

Colombe détacha la bouche de celle de l'homme et, du bout du nez, fureta dans le creux de son oreille tout en regardant du coin de l'œil si Jillian la surveillait encore. Elle la fixait, en effet, bouche bée, n'en croyant pas ses yeux.

Colombe, en séductrice ! C'était bien joué.

Soudain, elle sentit l'homme relever la tête. Elle se redressa elle aussi et ouvrit la bouche pour lui dire : « Merci d'avoir accepté de m'aider. Grâce à vous ils vont enfin me voir d'un autre œil… » Mais les mots s'étranglèrent dans sa gorge, comme d'habitude.

— Eh bien, vous, alors…, lui dit-il, soufflé.

Un courant les parcourut alors tous les deux. Plus tard, Colombe essaya de se rappeler exactement le déroulement des faits. Etait-ce lui qui lui avait pris le visage à deux mains et l'avait attiré à lui, ou était-ce elle qui avait pris cette audacieuse initiative ? Elle ne s'en souvenait plus trop, mais peu importait…

Finalement, sans trop savoir comment, elle se retrouva dans les bras du garçon, ahurie, comme une femme tombée d'une autre planète et qui découvrirait un homme pour la première fois.

Elle empoigna l'homme par les revers de sa veste et l'embrassa de nouveau. A son tour, il reprit ses lèvres et les effleura de la pointe de sa langue. Encouragée par cette caresse, elle entrouvrit la bouche pour l'y accueillir.

Indifférente à tout, maintenant — surtout à Alberto, Jillian et son ami qui les regardaient —, elle s'abandonna au bien-être qui l'avait envahie. Ils auraient pu être des milliers, des millions, des milliards à les observer, plus rien n'existait plus pour elle que le corps de cet inconnu pressé contre le sien, que ses lèvres, que la sensualité qui la submergeait… .

Jamais elle n'avait vécu de moment pareil. Jamais elle n'avait connu *ça*.

Ce baiser était doux et tiède et exquis — sûrement un péché. Mon Dieu ! Mais elle n'avait pas le droit d'aimer ces choses honteuses et défendues !… Pas le droit de vouloir plus. De vouloir tout. Tout connaître. Tout… tout… tout…

— Faites attention, ma belle, on nous regarde, tout de même, chuchota gentiment l'homme.

Colombe battit des cils et plongea le regard dans les yeux bleus qui la scrutaient. Tiens, il avait aussi des cils très longs et très épais, elle ne l'avait pas encore remarqué.

— On nous regarde, répéta-t-il dans un murmure.

Elle tourna la tête.

Des bras puissants la soulevèrent alors et la remirent sur ses pieds. Elle se sentait faible, bizarre. Quand les mains la lâchèrent, elle se retint de chanceler en s'appuyant à la table. Alors, seulement, elle fixa le garçon qu'elle avait si passionnément embrassé.

Les cheveux en bataille — était-ce à cause d'elle ? — des cils noirs, soyeux et fournis qui bordaient un regard bleu intense... Il était beau comme un dieu... Tiens, ne portait-il pas de lunettes, tout à l'heure ? Amusant... Sans lunettes, il avait de nouveau de faux airs de Johnny...

Elle jeta un coup d'œil vers la droite, là où Jillian et son ami se tenaient tout à l'heure enlacés : ils étaient partis.

Parfait. Mission accomplie.

Encore étourdie, Colombe lissa sa robe sur ses hanches, puis devant, et, se sentant de nouveau à peu près présentable, dévisagea le bel étranger avec lequel elle venait de partager, sans échanger un mot, des sensations si intenses.

Il l'observait, lui aussi.

Troublée par son regard, elle se mit à frissonner. Et, mesurant tout d'un coup l'énormité de ce qu'elle venait de faire, fronça les sourcils, horriblement gênée.

— Du caf... café ? dit-elle tout bas.

Du doigt, elle désigna la cafetière d'où s'échappait encore un mince filet de fumée.

— Est-il aussi brûlant que vous ?

Colombe se mordit la lèvre et fit non de la tête.

L'inconnu eut une mimique amusée.

— J'ai cru rêver, dit-il.

«Et moi, j'ai cru mourir », pensa-t-elle.

Ne sachant plus quelle contenance prendre, elle le fixa, essayant de lire dans l'expression de son regard le fond de ses pensées. Il semblait... intrigué.

Tiraillée entre l'envie de lui donner un rendez-vous et la certitude qu'il valait mieux en rester là, elle pivota finalement sur ses baskets, serra l'anse de la cafetière et, raide comme la justice, fila vers la cuisine accompagnée du couinement ridicule de ses semelles de caoutchouc.

Comme elle frôlait Alberto en passant, il lui décocha un :

— Tu en as mis du temps ! Je t'avais dit de servir du café, pas de t'attarder dans la salle !

Et, ronchon comme à l'accoutumée, il retourna au grattage de ses ustensiles de cuisine.

Sens dessus dessous, Colombe commença à s'affairer, elle aussi : nettoyage de la cafetière, récurage des casseroles, rangement des verres et des couverts. Complètement ailleurs, elle se surprit à astiquer des objets auxquels elle ne touchait jamais d'habitude, comme le grille-pain ou le presse-fruits. Et à remettre les torchons de la cuisine dans leurs plis !

Après cet accès d'activité frénétique, elle osa un regard vers la salle. L'inconnu n'était plus là.

Son cœur se pinça, mais elle s'interdit d'être déçue.

Après tout, elle n'avait fait qu'embrasser un parfait étranger, pas un amoureux ! N'empêche... Elle sentait bien que ce baiser allait au-delà... d'un simple baiser. Des baisers tout bêtes, elle en avait donné et reçu, au lycée. Des baisers maladroits, hésitants. Un peu sots. Mais des baisers comme celui-ci, jamais.

Sans trop savoir pourquoi, elle se sentait subitement toute chamboulée, différente. *Transformée*, pensa-t-elle. Comme une femme qui aurait goûté au fruit défendu et en demanderait encore.

Elle consulta l'horloge. Minuit et demie. L'heure de rentrer à la maison. Alberto avait terminé de gratter et téléphonait.

Contente d'en avoir fini, elle enfila son pull et fit aurevoir de la main au cuisinier. Il lui répondit par un signe de tête, l'air fâché. Evidemment.

Tout sauf inquiète de la mauvaise humeur d'Alberto, elle sourit pour elle-même. Quel bonheur ! C'en était terminé de sa réputation de laissée-pour-compte, à la fac et chez Davey's !

La journée avait peut-être mal commencé, mais elle se terminait en apothéose.

Dehors, Colombre inspira profondément. Il faisait nuit et la température était tombée. Suspendue entre ciel et terre, une énorme lune orange brillait comme une promesse.

— Colombe ?

La voix d'un homme.

Elle sursauta et scruta l'obscurité. Ce n'était pas n'importe quelle voix mais celle de l'homme qu'elle avait embrassé. L'inconnu.

Elle sentit ses jambes flageoler. Comment connaissait-il son prénom ?

— Tu ne te souviens pas de moi ?

Voilà qu'il la tutoyait ? Elle plissa les yeux et le fixa avec plus d'attention.

Qui était-il, exactement ?

Un réverbère, derrière lui, l'auréolait d'un halo blafard. Des cheveux noirs, tout décoiffés, balayaient le col relevé de sa veste de cuir.

Elle pencha la tête pour mieux voir.

Adossé au lampadaire, une jambe repliée, mains enfoncées dans les poches de son jean, il la regardait avec intensité.

L'espace d'une seconde, Colombe eut l'impression désagréable que ses jambes se dérobaient. Un brutal coup de chaud lui empourpra les joues. Et enfin, la lumière fut :

— Johnny, murmura-t-elle.

2.

Elle était aussi mignonne qu'autrefois au lycée. Grande, les cheveux blonds aux reflets cendrés cascadant en vagues, un sourire craquant et le même regard gris-vert qui ne laissait rien passer.

Surpris de l'avoir retrouvée là et, en même temps, désireux de comprendre le motif de son comportement et le fin fonds de ses pensées, il la dévisagea.

A l'époque du lycée, il excellait à cet exercice qui lui permettait de deviner l'état d'esprit de Colombe. L'éclat de ses yeux, surtout, la trahissait. Quand ils s'assombrissaient, c'est qu'on lui avait fait du mal. Quand elle était heureuse, ils viraient au vert clair. Des milliers d'émotions l'habitaient, mais elle s'imaginait que puisqu'elle ne disait rien, personne ne pouvait le soupçonner.

Lui, pourtant, la perçait à jour, immanquablement.

Il déplia la jambe et écrasa le mégot de sa cigarette sous sa semelle.

C'était plus facile de la regarder dans les yeux, autrefois. Aujourd'hui, tout en restant le même, son visage avait changé. Plus dessiné, c'était sûr. Sa silhouette aussi s'était allongée, ses jambes s'étaient affinées... Elle n'était plus que courbes et féminité et il se dégageait d'elle quelque chose de troublant.

Au restaurant, il avait aimé la sentir serrée contre lui. Il avait aimé son corps contre le sien. Quant à ses baisers...

A quel moment, à quoi, avait-il compris qu'il étreignait Colombe Lee ? Il n'aurait su le dire avec certitude. Peut-être à l'un de ses regards qui, l'espace d'un flash, lui avait rappelé une fille qu'il connaissait autrefois.

Et puis elle l'avait embrassé et, le baiser se prolongeant, il avait cessé de penser. Quelle émotion ! Comme elle s'était montrée ardente !

D'abord étonné d'être ainsi agressé, il avait trouvé à ses baisers un tel goût de miel qu'il s'était finalement laissé faire sans trop chercher à comprendre. Ce qui ne ressemblait pas à l'attitude habituelle du président-directeur général d'Opticpower qu'il était.

C'est à la fin de l'étreinte, quand elle avait trébuché sur le mot « café », qu'il avait été sûr qu'il la connaissait. Oui, c'est à ce moment-là qu'il avait cru la reconnaître. La serveuse devait être... Colombe Lee, la jeune sœur de son ami d'enfance. Elle avait maintenant prononcé son nom à voix basse, « Johnny » — et là, il n'avait plus de doute. Petite, elle avait cette même voix, douce et flûtée, qu'il trouvait aujourd'hui terriblement envoûtante.

Il avait rassemblé ses documents et il était sorti. Curieux de savoir pourquoi elle s'était ainsi jetée à son cou, il avait décidé de l'attendre dehors. Mais il s'était vite avoué qu'il se mentait. S'il l'attendait, c'était en fait pour une tout autre raison. Sa rencontre avec Colombe lui faisait faire un bond dans le passé. Elle le ramenait à une époque où tout était propre. Pas plus facile, plus *propre*. Cette époque, il aurait bien aimé la revivre, mais c'était trop tard. Il avait tellement changé ! Plus rien n'était pareil...

— Je suis... Je suis désolée, s'excusa Colombe.

Il l'observa en silence, puis :

— De m'avoir embrassé ?

Elle fit oui de la tête.

Croyant qu'elle allait s'expliquer, il garda le silence, mais elle ne dit rien. Autrefois, il lui arrivait de parler comme une pie, il s'en souvenait, mais seulement en famille, et quand elle se sentait vraiment en confiance. Devant les étrangers, elle préférait se taire. Si seulement il avait pu faire jour, songea-t-il, il aurait lu ses pensées dans ses yeux.

— Personnellement, je ne regrette rien, dit-il.

Il aurait pu se montrer plus disert, lui avouer qu'aucune femme ne l'avait jamais embrassé comme elle. Avec autant de fougue. Qu'il croyait pourtant avoir tout expérimenté en matière de baisers. Que c'était prétentieux de sa part de le croire puisqu'elle venait de lui administrer la preuve du contraire. Et surtout, qu'elle l'avait vraiment surpris. Mais il préféra poursuivre par une pirouette.

— Tu sers toujours les clients comme cela ? se moqua-t-il.

Elle hocha la tête, faisant virevolter ses cheveux blonds sur ses épaules.

Exprès, il le comprit, elle avait évité de parler. Depuis qu'elle était toute petite, elle se battait contre ce bégaiement qui lui gâchait la vie. En compensation, elle était très douée pour l'écriture. Les mots cascadaient à la pointe de sa plume. Elle avait même gagné un prix, à l'école, pour un conte qu'elle avait imaginé.

Il se souvenait très bien de ce jour-là.

Elle avait douze ans, lui dix-huit. Il avait séché les cours pour tenter de retrouver son frère Franky qui faisait l'école buissonnière, persuadé qu'il n'y avait d'alternative à la pauvreté que le chapardage ou le vol de voitures. Mais au lieu de trouver Franky, Johnny était tombé sur Colombe qui errait dans le parc à la sortie de la ville. Il avait eu du mal, mais avait réussi à lui faire admettre qu'elle séchait les cours exprès pour ne pas assister à la remise de son premier prix et échapper ainsi aux quelques mots de remerciement qu'elle devrait obligatoirement prononcer. Johnny lui avait offert une glace et elle avait fini par avouer qu'elle aurait adoré recevoir sa récompense, mais que l'idée de bégayer devant un auditorium plein d'élèves, de professeurs et de parents lui était un supplice.

Johnny avait alors signé un pacte avec elle. Il viendrait, se placerait au premier rang et elle n'aurait qu'à garder les yeux fixés sur lui et se contenter de dire « merci » dans le micro.

Les choses s'étaient passées comme il avait dit. Et il avait eu le bonheur de voir Colombe, fière d'elle et heureuse, monter sur l'estrade, tendre la main pour recevoir son cadeau et, penchée sur le micro et le fixant droit dans les yeux, murmurer « merci ».

Il avait toujours pensé, ensuite, que c'était lui, en fait, qu'elle remerciait ; avec dans le regard un mélange de timidité et de farouche détermination.

Mais cette fois, au lieu d'un regard d'enfant, c'était celui d'une femme qu'il devait soutenir.

Il fit un pas de côté, davantage pour cacher à Colombe la trop évidente réaction de son corps que pour véritablement inspecter le parking, d'autant qu'il était presque vide excepté un vieux pick-up vert au rétroviseur gauche cassé.

— Je t'accompagne jusqu'à ta voiture, lui dit-il.

Elle hocha la tête.

— Je… je suis à pied.

Il regarda la rue et nota qu'il n'y avait plus que le Davey's allumé, à cette heure. Les seules autres lumières provenaient d'appartements et de maisons qui, tous, avaient des barreaux aux fenêtres, ce qui n'était guère engageant.

— Tu rentres à pied ? A cette heure ? Dans ce quartier où tout le monde est barricadé ! Mais tu es folle !

Ils se regardèrent un moment, puis Colombe haussa les épaules.

— Ma voiture est… est…

Elle arrêta sa phrase là, préférant s'abstenir de parler. En général, elle ne savait trop quand son bégaiement allait commencer. Cette fois, l'émotion aidant, il débutait dès la quatrième syllabe. Mieux valait donc, se dit-elle, ne pas se lancer dans d'interminables explications.

Il lui lança un regard très doux, qui disait si bien qu'il la comprenait qu'elle lui sourit, soulagée. Avec lui, parler n'était pas nécessaire.

— Dans ces conditions, je vais à pied avec toi.

Se sentant un peu gauche, il essaya de se rappeler comment il agissait quand il était plus jeune et que tout était simple.

Ce soir, il n'avait pas envie de rentrer chez lui. Penny ne manquerait pas de l'appeler et il en avait assez de lui répéter qu'il ne voulait pas s'engager, qu'il n'était ni prêt ni fait pour le mariage qu'il considérait comme une source de problèmes. Enfant, puis adolescent, il n'avait que trop vu son père, alcoolique invétéré, rentrer ivre et violent tous les soirs. Que trop redouté les méfaits de son frère, irrécupérable délinquant sans cesse pourchassé par la police du comté. Si c'était là les joies de la famille, il préférait s'abstenir de créer un foyer ! Mais Penny, qui ne l'entendait pas de cette oreille, ne pouvait s'empêcher de revenir à la charge.

Aussi, plutôt que de devoir répondre au téléphone et d'entendre remettre sur le tapis ces inlassables litanies sur le bonheur de vivre à deux, avait-il fait ce qu'il décidait quand la vie lui pesait trop : se réfugier dans son passé. Ou du moins, essayer…

Pour ce faire, il avait laissé sa Jaguar au garage et emprunté un bus d'où il était descendu, au hasard, devant le restaurant Davey's. Là, il s'était fondu dans la foule des clients attablés. Pour redevenir, tout simplement, Johnny Dayton. Pour retrouver le confort de l'anonymat.

Personne, ici, ne connaissait ce personnage-là.

Jusqu'à ce soir.

Jusqu'à ce que Colombe ait murmuré : « Johnny ».

S'entendre appeler Johnny lui avait fait chaud au cœur mais, en même temps, tout ce que ce surnom réveillait de souvenirs, le plus souvent douloureux, lui avait fait mal. Très mal. Comme une lame de poignard qui lui aurait fouillé les entrailles.

Il crispa les mâchoires.

Comme sa vie avait changé depuis l'époque où il connaissait Colombe... S'en était-elle rendu compte ? Avec quels yeux le voyait-elle aujourd'hui ?

Réalisant soudain qu'elle ne lui avait pas répondu, il réitéra sa demande.

— Cela ne t'ennuie pas que je fasse le chemin avec toi ?

Peut-être était-il indélicat d'insister de la sorte ? Après tout, quelqu'un pouvait l'attendre à la maison. Un petit ami ? Un fiancé ? Un mari ?

Une bouffée de jalousie lui serra la poitrine.

— Si cela te fait plaisir, accepta-t-elle.

Dans les vitres du restaurant où son image se reflétait, il la vit rougir. C'était charmant. Penny, elle, ne rougissait jamais. Aucune des femmes qu'il avait fréquentées tout au long de ces années n'avait rougi, même une fois. Elles étaient trop affranchies pour éprouver la moindre émotion.

Cette timidité, qui contrastait avec l'audace dont Colombe avait fait preuve quelques instants plus tôt, était touchante et la rendait encore plus attachante.

L'air décidé, il vint à côté d'elle.

— Alors, on y va !

Ils marchèrent d'abord en silence. Comme un enfant que tout fascine, Johnny regardait ce qui l'entourait : le ciel au-dessus de lui, les voitures garées pare-choc contre pare-choc le long des rues étroites et sombres, les façades décrépies des immeubles…

Happé soudain par un parfum de rose et de lavande suspendu dans l'air, il s'arrêta un instant pour humer la nuit de cette fin d'été. Colombe s'arrêta elle aussi. Son attitude était étrange. Elle se tenait à côté de lui et semblait perdue dans ses songes. L'air intimidé, elle regardait ses pieds.

« Curieux », se dit Johnny, intrigué.

Pour une femme qui l'avait en quelque sorte agressé en public, il la trouvait bien réservée, subitement, alors qu'ils n'étaient plus observés.

Ils repartirent et, ralentissant imperceptiblement le pas, Johnny la laissa passer devant pour mieux l'observer. Elle portait la tête haute. A chaque pas, sa robe se plaquait contre ses longues jambes.

Qu'elle était belle ! Mon Dieu, qu'elle était belle !

Ses courbes lui rappelaient les vraies femmes, telles que les peignaient les impressionnistes, avec leurs frous-frous et leurs dentelles, leurs ombrelles et leurs bottines, et leurs sourires indéchiffrables.

Admirant ses longues boucles, il se demanda à quoi elle ressemblerait, décoiffée par l'amour. A première vue, elle avait l'air froid et distant mais, dans l'intimité, elle devait être d'une nature brûlante. Son numéro de femme fatale, tout à l'heure, lui en avait administré la preuve.

28

Colombe s'arrêta brusquement et il faillit la heurter. La lumière de la lune était trop pâle pour qu'il distingue nettement ses traits et encore moins l'expression de son visage. Mais elle le dévisageait d'une drôle de manière.

— Quelque chose ne va pas ? se hasarda-t-il.

Peut-être avait-elle lu dans ses pensées ? Peut-être avait-elle deviné ses fantasmes ? Se sentant pris en flagrant délit d'érotisme, il serra les dents.

Il y eut un silence. Puis un échange de regards fuyants. Au loin, un chien aboya.

Colombe toussota. Une brise légère souleva l'une de ses mèches qui miroita d'argent dans le rayon de lune.

Johnny chercha les yeux de sa compagne. Impossible de voir dans son regard baigné d'ombre le fond de ses pensées.

Chère Colombe ! Quand elle était plus jeune, elle était plus loquace, avec lui. Peut-être fallait-il lui laisser un peu de temps pour qu'elle se sente de nouveau à l'aise ?

Ou peut-être avait-elle quelque chose à lui dire et n'osait-elle pas s'exprimer ? Un copain qu'il avait croisé un jour, lui avait raconté une histoire d'accident — grave, paraît-il — qu'elle avait eu avec sa mère, mais il n'en savait guère plus. Apparemment, Colombe semblait aller bien. Cela n'était sans doute plus qu'un mauvais souvenir.

Pourquoi s'était-elle arrêtée, alors ?

Jetant un coup d'œil par-dessus son épaule, il vit un building avec de grandes baies vitrées.

— C'est là que tu habites ?

« Non », fit-elle de la tête et elle repartit.

Se demandant combien de temps encore allait durer cette marche silencieuse, il lui emboîta le pas.

Agacée d'être mal à l'aise et se sentant stupide, Colombe commença à se mordre la lèvre. Comme il devait la trouver ennuyeuse ! Dire qu'elle avait rêvé toute son adolescence que Johnny la remarque ! Et aujourd'hui où il n'avait d'yeux que pour elle, où l'occasion lui était donnée de l'avoir, elle restait muette comme une carpe.

D'accord, elle ne pouvait rivaliser avec les belles parleuses qu'il devait fréquenter — si tant est que *beau parleur* ait un féminin, se dit-elle — mais de là à marcher côte à côte avec lui sans lui adresser la parole… !

Un moment plus tôt, quand elle s'était soudain arrêtée et l'avait regardé droit dans les yeux, elle avait été à deux doigts de se livrer — mais les mots s'étaient refusés, une fois de plus.

Juste après, quand il lui avait demandé si quelque chose n'allait pas, au lieu de lui confier ce qu'elle ressentait, elle était repartie comme une fusée. Toujours sans rien dire…

Son seul réconfort, dans cette situation embarrassante, c'est qu'au moins ses baskets ne couinaient pas sur le ciment !

Sans échanger un mot, ils finirent par atteindre son immeuble.

Un petit signe de la tête, un vague sourire et, sans attendre, Colombe grimpa les marches qui menaient à son appartement au deuxième étage. Dans le silence de la nuit, elle l'entendit qui la suivait. Son cœur se mit à battre plus vite. Un peu plus fort à chacun de ses pas. Le sang cognait à ses tempes. Tout son corps vibrait, un peu comme s'il avait subi une sorte de séisme. C'était terrible, affolant, et lui, évidemment, ne se doutait de rien.

Arrivée sur le palier de son étage, elle fonça tout droit vers une porte en chêne sur laquelle était vissée une plaque de métal : 2B.

Jamais, depuis qu'elle habitait Denver, elle n'avait introduit d'homme chez elle ; aujourd'hui, non seulement elle en faisait monter un mais c'était Johnny Dayton en personne qu'elle amenait !

Elle s'arrêta et fouilla ses poches en quête de sa clé. Johnny, qui la suivait toujours, s'arrêta à son tour mais à petite distance. Il avait l'air tellement embarrassé qu'elle éprouva, l'espace d'un instant, un certain remords. Ce n'était pas dans ses intentions de le mettre mal à l'aise, c'est seulement qu'elle se sentait elle-même gênée. Gênée à cause de son silence qu'il avait dû trouver stupide. Surtout s'il ne se rappelait pas son handicap... Cela faisait si longtemps qu'ils ne s'étaient pas revus...

Quand ils étaient adolescents et que Johnny venait chez elle voir son frère, il arrivait à Colombe de s'immiscer dans leurs conversations. Ils parlaient autos, école, filles... et elle ne se privait pas pour intervenir, à l'occasion.

Il est vrai que dans le confort ouaté de sa maison, elle se sentait sécurisée et les mots lui venaient aisément.

Et pourtant, si... Il devait le savoir.

Le jour où il l'avait trouvée dans le parc, refusant de se rendre en classe pour recevoir son prix de peur de devoir s'exprimer devant toute l'école, elle lui avait tout expliqué. Il l'avait encouragée à y aller tout de même : il serait là, elle n'aurait qu'à le regarder. Elle y était allée et, grâce à lui, ce jour-là resterait le plus beau souvenir de sa vie.

Sans même qu'elle s'en rende compte, l'idée qu'il allait repartir lui arracha un soupir.

Quel choc elle avait eu, tout à l'heure, quand elle l'avait reconnu ! Mille et une choses lui étaient venues à l'esprit. Mille et une choses qu'elle avait eu envie de lui dire. Qu'elle lui aurait avouées si elle avait été, disons, plus *standard*. Qu'il était son unique amour, qu'aucun homme ne lui arrivait à la cheville, qu'elle avait pour lui les yeux de Chimène, depuis toujours. Qu'il incarnait tout ce qu'elle admirait le plus au monde : la sincérité, la droiture, mais aussi l'audace.

A Buena Vista, tout le monde savait que la vie ne lui avait pas fait de cadeau : un père qui passait le plus clair de son temps au bistrot, un frère qui semblait décidé à finir en prison… En dépit de ces malheurs, Johnny avait gardé le cap, ne se laissant jamais abattre par les événements, ne laissant jamais rien paraître de ses ennuis. Tout cela, elle aurait voulu le lui dire… Mais avec sa maudite infirmité… !

Négligemment, elle jeta un coup d'œil dans sa direction. Avec sa veste de cuir élimée et son air ténébreux et canaille, il n'avait pas vraiment changé. C'était toujours Johnny, son cher Johnny tel qu'elle l'avait connu. À quelques détails près, cependant… La grosse montre en or à son poignet qu'il avait dû payer très cher. Et son regard, brillant et étrange, qui ne la quittait pas. Oui, son regard avait changé.

« Il faut que je sache », se dit-elle.

Curieuse, mais surtout intriguée, elle avait envie de comprendre. Envie qu'il lui raconte ce qui s'était passé dans sa vie pendant ces quatorze années. Envie de lui dire, aussi, qu'elle venait de passer la journée la plus abominable de sa vie et que c'était à cause de cette mauvaise journée qu'elle s'était conduite comme une petite sauvageonne, au restaurant. Elle avait voulu snober Jillian qui la narguait, et lui faire voir qu'elle aussi pouvait avoir du succès.

Mais le temps pressait. Si elle ne voulait pas que ce jeudi se termine en fiasco total, il fallait qu'elle saisisse sa chance et se dépêche de proposer à Johnny d'entrer dans son appartement. Là, dans l'intimité de son petit nid, elle lui avouerait ses sentiments. Sinon, vraiment, c'est qu'elle demeurerait éternellement une incapable.

Elle se retourna et, le fixant, lui prit la main qu'elle porta à ses lèvres. Il sentait bon l'homme, et sa peau était douce.

— Johnny, murmura-t-elle en promenant les lèvres dans sa paume.

— Oui, ma belle ?

Emu par la tendresse de sa voix, il ne put s'empêcher de la prendre dans ses bras et de l'étreindre. Il enfouit la tête dans ses cheveux pour s'imprégner de son odeur. Elle dégageait un parfum de lavande qui lui ressemblait bien. Subtil, suave et pourtant rebelle... Sa vraie nature cachée.

Savourant la douceur de ce corps blotti contre le sien, il la serra très fort, embrassa son front, son nez, puis approcha les lèvres de sa bouche. Elle respirait à petites bouffées saccadées, toute tièdes, contre sa joue. Mais au lieu de prendre sa bouche pour l'embrasser, il recula et vit ses yeux mi-clos.

— Que veux-tu, Colombe ?

Elle s'humecta les lèvres, des lèvres charnues, plus jolies que des boutons de rose. La voyant faire, il la serra plus fort et, incapable de résister à la pulsion que ce geste lui inspirait, il la plaqua contre le mur et pressa ses lèvres sur les siennes. Il se sentait comme un fauve affamé. Un loup prêt à prendre sa louve. Il voulait sa bouche, sa langue, la fougue de ses baisers. Son corps, sa nudité.

Emportée par l'ardeur de son étreinte, elle répondit avec la même passion, surprenant Johnny par son audace.

De longues minutes s'écoulèrent...

Reprenant son souffle, il lâcha sa bouche et lui mordilla le cou puis, se frayant une voie le long de sa gorge, il la couvrit de menus baisers. Le feu coulait dans ses veines, il entreprit alors de défaire les boutons de sa robe, cette vilaine robe qui donnait d'elle une image qui lui ressemblait si peu.

Pour l'aider, elle creusa les reins, lui offrit sa poitrine. Ses grands yeux gris-vert brillaient d'un éclat farouche. Elle ne disait rien, elle le regardait, épaules contre le mur, hanches tendues vers lui. Le sentant hésitant, malhabile — peut-être de trop d'impatience — elle glissa les mains sur sa robe jusqu'à atteindre le bouton réticent.

Troublé, excité, il la regardait faire. Jamais il n'aurait cru qu'une simple affaire de bouton lui ferait perdre la tête. Mais il y avait dans les gestes de Colombe tant d'érotisme, qu'il eût fallu être un saint pour résister.

Il n'était pas un saint, loin s'en faut, mais il sut se contenir. Malgré ses pulsions, il ne lui arracha pas sa maudite robe comme il brûlait d'envie de le faire. Il ne la brusqua pas, ce qui lui demanda un effort quasi surhumain. Au lieu de cela, il la regarda défaire tranquillement son bouton. Elle prenait tout son temps, s'ingéniant, avec un plaisir évident, à faire durer le supplice. Il vit ses lèvres frémir, lui murmurer quelque chose mais il ne l'entendit pas car son sang cognait à ses oreilles comme un marteau. Il s'approcha alors de sa bouche pour tenter de déchiffrer les paroles sur ses lèvres.

— Oui, chuchotait-elle. Oui...

Exaspéré par l'attente, perdant finalement patience, il écarta les mains de Colombe qui s'acharnaient sur le bouton et les croisa au-dessus de sa tête contre le mur. De sa main libre, il s'attaqua au deuxième bouton, qui céda, libérant de jolis seins de leur écrin d'ivoire.

Dieu, qu'elle était désirable ! Il le soupçonnait... Mais à ce point !

Bouleversé, il ferma les yeux, les rouvrit, les ferma encore, comme animé de sentiments contradictoires qui lui enlevaient toute maîtrise.

Elle dut percevoir son tourment car elle l'appela doucement par son nom. Il baissa alors la tête et posa la bouche sur sa gorge. Elle était plus douce que la soie, plus sucrée que le miel. C'était un fruit gorgé de soleil.

Il défaisait le troisième bouton et commençait à promener ses lèvres sur ses seins quand un son étrange l'arrêta. Colombe ? Etait-ce qu'il lui faisait mal par hasard ?

Il recula pour la regarder. Elle prit l'air étonné.

Un grattement le long de sa jambe le surprit alors, et Johnny sentit quelque chose peser sur son pied.

Il baissa les yeux... Un chat, un de ces chats couverts de plus de poils qu'il ne l'eût cru possible, était assis sur son pied droit. Le matou leva les yeux, ouvrit la bouche et émit un miaulement déchirant.

Faisant mine de le gronder, Colombe se pencha pour l'attraper et lui grattouilla le sommet de la tête.

— Otto, que fais-tu dehors ? Tu devrais être rentré, à cette heure.

Johnny eut un mouvement de surprise. Colombe avait parlé. Sans bafouiller, sans bégayer. Sans doute Otto lui était-il familier ? Sans doute était-ce le chat d'un voisin qu'elle connaissait bien ? N'empêche...

Il toussota.

Peut-être, aussi, se sentait-elle déjà plus à l'aise avec lui ?

Colombe prit le chat dans ses bras et plongea dans sa fourrure. La bête abaissa ses lourdes paupières et se mit à ronronner.

« Le veinard ! songea Johnny. Ce n'est pas moi qui ai cette chance ! »

— Allez, je t'emmène. Tu es autorisé à rester avec moi, ce soir, petit fou.

Adressant à Johnny son plus joli sourire, elle poussa la porte et entra. Le moment était venu de proposer à son ami de la suivre. Elle jouait son va-tout.

« Cesse de trembler ! » s'ordonna-t-elle.

Mais ce n'était pas facile. Inviter Johnny à entrer chez elle dans le seul but de se laisser caresser, embrasser, de lui demander qu'ils fassent l'amour ensemble, lui semblait d'une audace incroyable. Elle qui n'avait jamais introduit d'homme chez elle ! Il y avait bien eu les petits flirts avec les copains du lycée à l'arrière des grosses américaines, mais cela ne prêtait pas à conséquence. Ce n'était pas comme passer une nuit entière avec un amant... Ça devait être merveilleux de rester enlacés jusqu'à l'aube... Surtout dans les bras de Johnny. Et de se réveiller au petit matin, épanouie et comblée.

Mais elle délirait ! Johnny n'avait peut-être pas l'intention de passer la nuit avec elle, et elle se réveillerait seule demain. Comme d'habitude.

A sa connaissance, il n'était pas homme à s'engager et il n'y avait rien qu'elle puisse attendre de lui. Ni promesse ni espoir. Johnny était peut-être un homme à femmes mais il n'était pas l'homme d'une seule femme. Pour lui, sexe et mariage ne devaient pas aller de pair. Elle ne devait pas se faire d'illusion, elle ne serait jamais pour lui qu'une conquête de plus, une adresse et un nom dans son calepin. Tant pis pour elle, elle savait à quoi s'en tenir.

Comme Otto poussait un autre miaulement plaintif, Colombe réalisa qu'elle était accrochée à lui comme à une bouée de sauvetage.

Tout compte fait, se ravisa-t-elle en silence, peut-être valait-il mieux en rester là ?

Ah ! Si seulement elle avait pu trouver un petit bout de papier... Elle lui aurait écrit le fond de sa pensée :

Rien ne presse. Prenons tout notre temps, sans nous précipiter.

Mais elle se ravisa de nouveau et, au lieu de cela, planta son regard dans celui de Johnny.

Ne devinant pas ce qu'elle voulait, Johnny soutint son regard. Lui qui se vantait volontiers de comprendre les femmes, il se sentait soudain aussi inexpérimenté qu'un débutant. Etait-ce le chat, ou lui, qu'elle invitait pour la nuit ? Mon Dieu, comme il se sentait gauche ! Elle devait le remarquer et le trouver balourd...

Un cui-cui perçant troua le silence de la nuit. Elle jeta un coup d'œil par-dessus son épaule.

— C'est... c'est mon oiseau, expliqua-t-elle.

Elle n'ajouta rien et haussa les épaules.

Curieux comportement, se dit Johnny. Peut-être Colombe souhaitait-elle qu'il entre mais n'osait-elle pas le lui demander ?

Mais comme il se perdait en conjectures, il entendit un vague « bonsoir » et vit le battant de la porte se refermer devant lui...

C'était la première fois qu'une femme lui faisait cet affront.

Estomaqué, il resta planté sur le seuil et attendit. Fallait-il qu'il miaule comme le chat du voisin pour qu'elle lui rouvre ? Ou qu'il piaille comme l'oiseau ?

Sous le choc, il inspira profondément, comptant sur l'air frais de la nuit pour recouvrer son sang-froid et apaiser ses sens. « C'est Colombe Lee, essaya-t-il de se raisonner alors. La gentille petite Colombe. Calme-toi, voyons. Tu perds la tête. »

D'ici à quelques jours, quand il se serait repris, ils se reverraient. Il lui parlerait... Enfin, il essaierait et lui demanderait de lui faire lire ce qu'elle écrivait, et de lui montrer des photos de sa famille.

Le ronflement d'un moteur de voiture, en bas, dans la rue, le ramena à la réalité.

Quelle heure pouvait-il être ?

Il consulta sa montre. Le tramway ne circulait plus, à cette heure. Il fallait qu'il emprunte un taxi, sinon il ne lui resterait que ses pieds pour regagner Cherry Creek.

Dépité par cette avalanche de contrariétés, il descendit l'escalier en marmonnant... Et soudain, les poings au fond des poches de son jean, il se mit à courir sur le trottoir, en proie à un fou rire incoercible. Jamais une femme, au moment des adieux, ne lui avait encore dit «C'est mon oiseau » avant de lui claquer sa porte au nez.

— C'est mon oiseau, murmura-t-il à son tour en regardant le nuage de buée qui s'échappait de sa bouche.

« Eh bien, moi aussi, j'en aurai un, se jura-t-il. Parole de Johnny, j'aurai bientôt ma colombe. »

3.

— Christine Slayter souhaite vous voir, monsieur Dayton, dois-je la faire entrer ?

Assis dans son fauteuil directorial, face à Denver, Johnny s'arracha à la contemplation des gratte-ciel qui se découpaient sur les Montagnes Rocheuses que la neige, déjà, blanchissait au loin. Pourquoi, bon sang, avait-il écouté ses conseillers et nommé Christine Slayter vice-présidente de sa société ? Depuis cette nomination, qu'elle avait abusivement interprétée comme une marque d'intérêt personnel, elle n'avait eu de cesse de lui faire comprendre qu'elle était disponible pour tout ce qu'il lui demanderait. Sans restriction...

Mais il avait sa part d'erreur dans cette décision. Un an plus tôt, à la fin d'une journée de travail éprouvante qu'ils avaient bouclée en la noyant dans l'alcool, il s'était laissé aller à un flirt léger qu'elle s'était empressée de prendre pour argent comptant. Il l'avait tout de suite détrompée mais, depuis, elle s'obstinait à ne pas vouloir comprendre.

— Qu'elle entre, Sheila.

La porte s'ouvrit comme sous l'effet d'une bourrasque.

— Bonjour, Jonathan.

Son homme de ménage disait M. Dayton. Les employés d'Opticpower aussi. Mais Christine et les cadres de l'entreprise l'appelaient Jonathan. Personne ici ne l'avait jamais appelé Johnny… jusqu'à la nuit dernière. L'espace d'un instant, il crut entendre la voix douce et étonnée de Colombe, quand elle l'avait trouvé en train de l'attendre à la sortie du restaurant.

Christine s'avança d'un pas presque militaire et vint s'asseoir en face de lui. Elle était, comme toujours, très élégante, mais elle avait forcé sur le maquillage.

Jouant les allumeuses, elle croisa les jambes avantageusement, s'arrangeant pour lui laisser entrevoir ses jarretelles de satin noir.

— Tu sembles… absent, lui fit-elle remarquer.

— Pas du tout. Tu désirais me voir ?

Une ombre — comme une déception — voila le regard de Christine qui se raidit sur son siège.

— Teresa n'a pas respecté la procédure et notre livraison n'est pas conforme au cahier des charges. Il va falloir que tu sévisses.

Johnny se pencha sur son bureau, les mains jointes devant lui.

— Cela m'étonne de la part de Teresa.

— Brad n'a cessé de lui mettre des bâtons dans les roues, ajouta-t-elle, pincée.

Préférant, pour l'heure, afficher une apparente neutralité, Jonathan Dayton ne réagit pas. Autant se pendre que de diriger des responsables de service, pensa-t-il tout de même. Mais il garda son flegme.

Sachant que sa vice-présidente n'était jamais à court d'idées, il s'enquit :

— Que pouvons-nous faire ?

Elle se pencha à son tour.

— Licencier Brad, puisqu'il ne joue pas le jeu de la société, et le remplacer par Scott. C'est la seule façon de redresser la situation.

Un parfum d'orchidée, sucré comme un bonbon, agressa les narines de Johnny. Christine avait dû s'asperger plus que de raison ce matin.

— Combien de temps nous faudra-t-il pour rattraper le retard ?

— Une semaine, répondit Christine du tac au tac.

— Parfait. Mais avant d'éliminer Brad, j'aimerais que tu lui parles : c'est un bon élément que je ne tiens pas à perdre. Je compte sur toi.

Christine haussa le ton.

— Je te répète, Jonathan, qu'il ne joue pas le jeu de la société. Le garder reviendrait à mettre en danger l'avenir de l'entreprise.

— Tu ne penses pas que tu exagères ?

— Disons que son maintien à ce poste pourrait ruiner les efforts de toute son équipe. Si tu veux mon avis, Jonathan, il faut lui imposer de démissionner. Ou le pousser à la faute. Je peux m'y employer.

— Je veux d'abord que tu lui parles, insista Johnny.

— Mais...

Elle avait les lèvres pincées et l'air vraiment contrarié.

— Tu n'aimes pas quand je n'adhère pas immédiatement à tes projets, je sais, coupa Johnny.

Crispée, elle agrippa les revers de sa veste, découvrant un poignet garni d'une superbe montre en or.

— Tu connais un vice-président digne de ce nom qui accepterait qu'on le contre ?

— En fait, tu ne supportes pas la contradiction. D'où qu'elle vienne.

Le ton était cassant. Johnny l'avait fait exprès. Cette Slayter, décidément, était insupportable. Il était temps qu'il la remette en place : une autre fois, elle éviterait de l'aguicher en lui exposant ses jarretelles de satin.

41

— Je te demande de communiquer les résultats de Teresa à Brad, ordonna Johnny. Si, par la suite, il s'avère qu'ils sont incapables de collaborer, nous en reparlerons toi et moi.

Christine opina de la tête et se leva.

— En sortant, peux-tu rappeler à Sheila de commander mon déjeuner.

Christine se retourna d'un bloc et marcha vers la porte où elle s'arrêta brusquement. Elle semblait avoir recouvré son sang-froid.

— Au fait, dit-elle, lançant un coup d'œil par-dessus son épaule. Il y a un dîner, ce soir. C'est Len qui l'organise pour fêter la sortie de son nouveau produit. Tu viens ?

— Désolé, j'ai déjà une obligation. Félicite Len et son équipe de ma part.

Christine hésita. A quelle obligation faisait-il allusion ?

Lisant dans ses pensées, Johnny sourit. Ce soir ? Il allait retrouver Colombe. La dame de ses rêves ne le savait pas encore, mais il allait lui faire cette surprise.

Ravi de la décision qu'il venait de prendre, il continua de sourire.

— Allez, Dorothy, active ! Qu'est-ce que tu attends ?

Comme à son habitude, Alberto aboya son ordre à la serveuse qui, debout derrière l'évier de la cuisine, tirait sur sa cigarette au lieu de travailler.

— Je me demande bien qui a pu mourir pour que ce soit toi le boss ici ! pesta-t-elle.

Alberto lui jeta un regard mauvais.

— Tu ne partiras pas avant d'avoir fini de nettoyer les tables, alors magne-toi.

Il hocha la tête comme s'il s'adressait à un enfant.

— Et puis jette-moi cette cigarette. C'est tout juste bon à creuser ta tombe.

Dorothy écrasa son mégot sur le rebord de l'évier et se tourna vers Colombe.

— Est-ce que monsieur J'enquiquine-tout-le-monde t'a cassé les pieds à toi aussi, hier soir ?

— Cassé les pieds ? ricana Alberto. Elle aurait mérité que je la jette dehors, tu veux dire, mais ça, c'est entre elle et moi.

L'air subitement radouci, il regarda Dorothy.

— Allez, active. T'as tes tables à finir.

Dorothy attrapa l'anse de la cafetière et, se déhanchant outrageusement, gagna la salle de restaurant.

— Ah, celle-là ! grogna Alberto, le regard rivé aux fesses de la serveuse.

Perplexe, Colombe s'essuya les mains sur son tablier de cuisine.

Hier, quand Dorothy s'était disputée avec Alberto, Colombe avait cru que la serveuse ne reparaîtrait plus jamais. C'était mal connaître l'âme humaine ! Dorothy était revenue, la bouche en cœur, comme si de rien n'était. Mais il eût fallu être aveugle pour ne rien remarquer. Il s'était sûrement passé quelque chose entre hier et aujourd'hui.

A son arrivée, ce matin, Dorothy portait une minijupe noire, neuve, bien plus moulante que celle qu'elle portait généralement. Elle avait aussi changé de coiffure : le nouveau style qu'elle avait adopté, plus moderne, la rendait beaucoup plus sexy.

Presque aussitôt après l'arrivée de Dorothy, Colombe avait vu Alberto débarquer, beau comme un sou neuf : chemise blanche repassée, pantalon avec pli et sourire aux lèvres. Perplexe un instant plus tôt, Colombe avait alors tout compris...

Amusée, Colombe lança un regard vers la salle de restaurant. Sa cafetière à la main, Dorothy revenait vers la cuisine, sourire suggestif aux lèvres. Quant à Alberto, persuadé que personne n'avait remarqué sa sensuelle complicité avec la serveuse, il s'escrimait sur la grille de son fourneau pour la troisième fois au moins, histoire de tuer le temps en attendant sa belle !

Témoin du naïf stratagème, Colombe ne put réprimer une joyeuse envie de rire. Mieux valait qu'elle s'éclipse et les laisse fermer seuls la boutique ! se dit-elle.

Comme elle remisait son tablier dans un coin de l'office, une vague de nostalgie la submergea soudain.

Et voilà ! Ce soir, comme tous les autres soirs, elle allait rentrer chez elle seule. La nuit dernière — une fois n'est pas coutume — elle avait connu un interlude fugitif mais passionné. Elle avait savouré le bonheur d'être en couple, comme Dorothy et Alberto l'avaient sûrement connu hier, eux aussi, et allaient le revivre ce soir. Hélas, pour elle, le plaisir n'avait pas duré longtemps ! Mais aussi bref qu'avait été ce bonheur, elle s'en souviendrait aussi longtemps qu'elle vivrait.

Sa mère lui disait souvent qu'il ne tenait qu'à elle que les garçons lui fassent la cour. Elle n'avait qu'à se montrer moins timide et leur laisser voir qu'ils lui plaisaient. En se conduisant ainsi, plaisantait-elle, elle aurait plus de prétendants que Scarlett O'Hara.

Mais ce que sa mère ne comprenait pas, c'est que ce n'était pas une question de timidité, mais de difficulté à parler. Evidemment, les gens concluaient souvent que puisqu'elle ne disait rien, c'est qu'elle n'était pas intéressée.

La nuit dernière, cela s'était passé différemment. Johnny et elle n'avaient pas eu besoin de mots pour se comprendre. Leurs corps avaient parlé et réagi de façon incroyable. Elle

44

n'aurait jamais pensé qu'une telle entente soit possible. Que deux êtres puissent ainsi vibrer à l'unisson.

— Alors, Colombe, on rêve ? lança Dorothy en passant près de sa collègue.

Les joues en feu, Colombe fit non de la tête. Il fallait qu'elle cesse de fantasmer. C'était un pur hasard qu'elle ait retrouvé Johnny et il y avait peu de chance pour qu'elle le rencontre de nouveau. De toutes façons, même si leurs chemins devaient se croiser encore, elle le laisserait prendre les devants. Elle n'allait pas une fois de plus lui sauter au cou.

Elle fit un signe d'adieu à Dorothy et traversa le restaurant pour partir. Le caoutchouc de ses semelles couinait à chacun de ses pas.

Arrivée à la porte, elle tourna le panneau du côté « Fermé », ouvrit, sortit et inspira une grande bouffée d'air frais. La lune brillait dans le ciel, comme hier quand ils avaient marché côte à côte, Johnny et elle. A ce souvenir, elle sourit.

— Tu es belle sous la lune.

Elle sursauta. Là, à l'endroit précis où il se tenait hier, il attendait. Adossé au lampadaire, pantalon kaki, veste de cuir noir défraîchie, il avait l'air d'un voyou guettant sa proie. Elle ?

Il s'avança.

— A ce que je vois, tu es encore à pied ?

Oui, elle était à pied et elle le resterait aussi longtemps qu'elle n'aurait pas mis deux cents dollars de côté pour sortir sa voiture de la fourrière.

— Dans le fond, tu ne m'as pas dit : elle est en réparations ?

Elle fit non de la tête, au moins cinq ou six fois.

Il s'arrêta, repartit, la rattrapa et se planta devant elle.

— Je peux te raccompagner chez toi ?

Une mèche de cheveux noirs balayée par le vent de la nuit lui retombait sur le front, lui donnant un air de rocker. Elle ne l'avait jamais vu aussi séduisant.

— Oui…

Le *oui* avait jailli comme un cri du cœur.

Le visage de Johnny s'éclaira de bonheur. Elle le remarqua et, voulant savourer en secret le plaisir de le voir heureux grâce à elle, s'arrangea pour tourner le dos à la lumière du réverbère, afin qu'il ne la voie pas rougir. Afin qu'il ignore combien la plus minuscule marque d'attention de sa part la transportait de joie. Et la troublait.

Histoire de se donner une contenance, elle serra son pull autour d'elle, puis elle fit un pas de côté pour éviter Johnny et prit la direction de son appartement.

— Eh bien, attends-moi ! s'écria-t-il.

Ses petits pas décidés ne couinaient plus mais ils résonnaient sur le macadam.

— Il y a le feu ? ironisa-t-il.

Colombe s'arrêta, fit non de la tête.

Elle serrait tellement son chandail qu'il en était tout déformé.

— Je t'ai contrariée ?

— Non.

Elle ferma les yeux et regretta de ne pouvoir revenir quelque cinq minutes en arrière, pour tout reprendre de zéro et se comporter normalement.

— Je veux dire… Si.

— Vraiment ?

Elle leva la main et, délimitant un espace entre son pouce et son index, ajouta :

— Un… peu.

Partagé entre amusement et surprise, il ne la quittait pas des yeux.

46

Voyant son regard moqueur, Colombe haussa les épaules, complètement déstabilisée. Aucun homme n'avait le droit d'être aussi séduisant, aussi irrésistible. C'était un péché ! Mais un péché dont il n'était pas coupable car, sans même un geste, sans même un mot, il plaisait. En cours de psychologie, on appelait cela le charisme, se remémora-t-elle.

Comme il s'approchait d'elle, une odeur d'eau de Cologne flotta dans l'air. Hier soir, déjà, il portait ce parfum-là, frais et acidulé. Il resterait à jamais associé à lui, à leur soirée de la veille.

— Ainsi, je t'ai contrariée... un peu ? dit-il la voix rauque.

— Beaucoup.

Les mots lui avaient échappé et elle les avait dits avec une voix qu'elle ne se connaissait pas.

— Autant que hier soir ? insista-t-il avançant d'un pas vers elle.

Troublée, elle faillit trébucher. Nom d'un chien !. Non seulement elle était incapable de s'exprimer sans bégayer mais son corps, maintenant, la trahissait. Allait-elle bientôt cesser de trembler ?

Toute frissonnante, elle se mit à haleter comme si l'air autour d'elle s'était raréfié. C'était la faute de Johnny. C'était lui qui la mettait dans cet état. Lui qui l'avait excitée. Lui qui lui faisait perdre la tête.

Elle réussit à grimacer un semblant de sourire.

Et voilà : encore une fois, il allait la prendre pour une idiote. Ce n'était plus cinq, mais dix minutes en arrière qu'elle aurait voulu retourner...

La voyant complètement perturbée, Johnny éclata de rire. Un rire si contagieux qu'elle éclata de rire à son tour. D'un rire limpide, joyeux comme une cascade. Un vrai fou rire de petite fille. Comme c'était bon de se laisser aller à l'insouciance et à la bonne humeur, sans songer à rien d'autre qu'au bonheur d'être heureux !

— Je me souviens de tes fous rires quand tu étais petite, lui lança Johnny en lui tendant la main. Je me rappelle aussi comme tu étais bavarde.

C'est vrai qu'à la maison, on la traitait volontiers de petite jacasse. C'était à l'extérieur que les choses se gâtaient. Aussi, depuis son installation à Denver où elle vivait seule, avait-elle préféré ne fréquenter personne. Elle évitait ainsi les humiliations liées à son handicap — mais se privait aussi de sorties et d'occasions de s'amuser .

— Ne t'inquiète pas pour moi, la rassura-t-il, lui caressant les cheveux. Tu parleras quand tu en auras envie.

Il remit en place une mèche folle, prit Colombe par le bras et, doucement, sans se précipiter, l'entraîna vers l'immeuble où elle habitait.

Tout naturellement, elle accorda son pas au sien. Elle se sentait bien. En confiance. Oui, en confiance. C'était grâce à lui. A lui qui lui apportait, dans l'anonymat de la grande ville, un peu de sa province, un peu de Buena Vista.

Elle glissa sa main dans la sienne et, quand elle sentit ses doigts d'homme, chauds et rassurants, se refermer sur les siens, elle sourit.

De temps à autre, tout en marchant, elle lui jetait discrètement des regards en coin. Tout compte fait, il n'avait pas vraiment changé. A l'époque, il se déplaçait en groupe, était extraverti, plaisantait volontiers avec ses copains comme il le faisait avec elle ce soir.

Elle fronça les sourcils. En même temps, il avait changé. A l'époque, il souriait différemment. Il était plus simple, plus facile d'accès. Son rire, le ton de sa voix, sa démarche, étaient plus décontractés, plus libres. La maturité, qui pourtant lui allait bien, l'avait un peu guindé. Quand avait-il adopté cette espèce d'armure ?

Elle lui serra les doigts, comme il l'avait fait un instant plus tôt, pour lui faire comprendre qu'elle était bien.

Un peu plus loin, à l'angle de la rue, un air de Sinatra filtrait par une fenêtre ouverte. Elle la connaissait bien, cette chanson-là. Elle lui rappelait son père.

Petite, elle devait avoir cinq ans, elle était entrée un jour, par hasard, dans le salon. Ses parents dansaient, tendrement enlacés. Ils avaient l'air perdus dans leur monde. C'est cette image qu'elle voulait garder de son père — celle d'un mari amoureux de sa femme — et qui aimait aussi le bout'chou qu'elle était. Pas celle de l'homme qui avait déserté sa famille, la laissant, du jour au lendemain, complètement démunie et désemparée.

C'était ainsi aussi qu'elle voulait se rappeler sa maman. En train de danser, sans ce boitillement que lui avait laissé son accident de voiture.

Colombe se mordit la lèvre comme pour se punir d'une faute. Si sa mère avait habité ici aujourd'hui, elle aurait rappelé à Colombe que rien n'arrive par hasard. Que chaque événement a sa raison d'être.

Mais Colombe n'en avait jamais été convaincue.

Une voiture qui vous tamponne parce que son chauffeur n'a pas respecté un stop et qui vous laisse boiteuse à vie, cela avait-il vraiment sa raison d'être ?

Non, n'en déplaise à sa mère, cette théorie n'était pas défendable. Comme était indéfendable le chauffard qui avait menti le jour du procès, affirmant qu'il n'avait jamais brûlé de stop. Colombe, unique passagère de la voiture de sa mère, avait été aussi le seul témoin ; mais son maudit bégaiement avait exaspéré les jurés et la cour, qui avait débouté sa mère de sa plainte.

Oui, à cause du mensonge de l'un et de l'impatience des autres, elle avait perdu son procès.

En dépit de cette injustice, sa mère avait continué à tenir les mêmes propos sur la fatalité et sur les rouages qui faisaient tourner le monde comme une grande et belle machine bien huilée.

Sans manquer de respect à sa mère, Colombe avait quand même du mal à admettre des idées aussi folles.

La chanson de Sinatra s'effilocha dans le soir mais Colombe, qui avait toujours trouvé dans la musique un moyen de s'échapper, continua de chantonner.

— C'est vrai : j'avais oublié que tu chantais.

Aussitôt, elle s'arrêta.

— Continue. Tu veux bien ?

Elle se remit à fredonner, heureuse d'entendre les paroles couler de sa bouche.

Quand elle chantait, elle ne bégayait plus. Alors, elle se sentait une autre.

Johnny, à son tour, entonna la mélodie de sa voix grave. Ils continuèrent à marcher, main dans la main, partageant les mêmes mots, le même plaisir.

Arrivés chez Colombe, ils montèrent l'escalier. Le globe du couloir éclairait le visage de Johnny, ses merveilleux yeux bleus, la mèche noire qui lui barrait le front et lui donnait cet air de mauvais garçon qu'il adorait afficher autrefois. Il avait peut-être changé mais, derrière les apparences, se profilait toujours le gentil gredin de son adolescence. Son Johnny... Celui dont elle se souvenait.

Elle se hissa sur la pointe des pieds et effleura ses lèvres. Oh, à peine. Ce n'était même pas un baiser, tout juste une promesse.

— Que veux-tu ? lui dit-il, la voix cassée.

La nuit dernière, à deux doigts de le faire entrer chez elle, elle avait trouvé que c'était aller trop vite et s'était ravisée. Ce soir, après avoir marché et chantonné ensemble, ne pas le retenir n'aurait pas eu de sens. Mais il restait une inconnue.

— Es-tu… ?

Elle lui montra son index.

— Non. Il n'y a personne d'autre que toi dans ma vie en ce moment.

Il marqua un temps d'arrêt et reprit.

— Mais… tu n'as pas répondu à ma question. Que veux-tu ?

Elle sourit, sortit les clés de son sac et ouvrit sa porte. Le seuil à peine franchi, elle se retourna et lui reprit la main.

— Je veux plus, murmura-t-elle.

4.

Johnny trébucha sur la barre de seuil et faillit tomber. Des femmes qui l'avaient invité chez elles, il en avait connu beaucoup, mais une femme qui lui annonçait d'entrée de jeu ce qu'elle voulait, et le tirait par la main pour le faire entrer chez elle, cela ne lui était jamais arrivé.

Colombe lâcha la main de Johnny pour aller allumer la lampe sur le bureau. Il était encombré d'une ribambelle d'objets : photos, livres, bibelots, tasses de café.

Plus loin, à même le parquet, il y avait des coussins. Une montagne de coussins de toutes les couleurs. Pratiquait-elle le yoga ? Ou bien s'allongeait-elle par terre pour lire ? se demanda-t-il.

Comme elle revenait vers lui, sa silhouette se découpant en ombre chinoise sur la lumière, il resta muet, fasciné par le spectacle de ses cuisses dans la transparence de sa robe. Une brusque bouffée de désir le submergea.

A quoi jouait-elle ?

Se rendait-elle compte qu'elle l'excitait ?

Un petit bruit bizarre le sortit de sa contemplation. Ils n'étaient donc pas seuls ?

— Oui, Mick, l'entendit-il dire.

Mick ?

Bien sûr. C'était l'oiseau.

Sans doute baptisé Mick en souvenir d'un ancien petit ami ?

Elle s'assit près de Johnny et lui prit la main. Etait-ce sa façon de lui exprimer, sans parler, qu'elle était prête à recevoir son baiser ?

S'apprêtant à la satisfaire, il s'humecta les lèvres, mais elle tourna la tête.

Il la vit tendre la main et crut qu'elle allait le caresser. La main le frôla, en effet, mais poursuivit son geste sans s'arrêter.

Tac.

Déception : c'était l'interrupteur qu'elle visait !

La pièce s'éclaira d'un coup. Elle était petite avec un coin kitchenette dans lequel ronronnait un réfrigérateur.

Sans dire un mot, Colombe se leva et s'éloigna.

Curieux de découvrir son espace de vie pour tenter de mieux cerner sa psychologie, Johnny se leva à son tour et alla vers une porte. La chambre, sans doute, là où il l'emmènerait tout à l'heure... si tout se passait comme il le prévoyait.

Erreur, la porte donnait sur la salle de bains.

Déçu encore, il revint dans le salon et l'inspecta plus attentivement. Il était plutôt disparate. Il y avait le bureau sur lequel se trouvait la lampe, une cage avec un oiseau, un vieux canapé devant la fenêtre et une bibliothèque contre le mur d'en face. Et, bien sûr, les fameux coussins de toutes les couleurs au milieu de la pièce.

« Intéressant, se dit-il. L'occupante des lieux ne manque pas de goût. »

Mais où donc se trouvait la chambre ?

Il y avait bien une autre porte à droite des étagères mais, à travers l'entrebâillement, il vit qu'il s'agissait d'un placard de rangement. Le salon devait donc faire office de chambre.

Cela lui rappelait chez ses parents, autrefois. Là où il avait grandi. Mais la comparaison s'arrêtait là. Autant l'intérieur de Colombe était gai et sentait bon la vanille et le citron vert, autant la maison de ses parents était sinistre et puait l'humidité. Son frère et lui dormaient dans des lits de camp dans un coin de la pièce. Leur père, quand il était là, occupait un autre angle. Ils avaient peu de meubles — quelques chaises pliantes en fer, une table en Formica et une lampe halogène — que des bons samaritains, les sachant dans le besoin, leur avaient offerts. Ils faisaient la cuisine sur un vieux réchaud dans la salle d'eau et la vaisselle dans la douche. Depuis lors, l'odeur de savon réveillait en lui des souvenirs de viande grasse et de pommes de terre frites.

D'un geste de la main il balaya ce souvenir et sourit à Colombe qui revenait un paquet de graines et de l'eau dans les mains.

Elle était heureuse, cela se lisait sur son visage mais, en même temps, ses hésitations trahissaient un certain embarras. Etait-elle gênée de l'avoir introduit chez elle ? Ou d'avoir interrompu une romance naissante pour nourrir son compagnon à plumes ?

Aucune femme, il est vrai, ne lui avait encore joué un tel numéro... Mais le scénario était plutôt drôle. Il en disait long sur le caractère de Colombe.

— Ne te presse pas, surtout. Prends ton temps pour nourrir...

Comment s'appelait-il, ce maudit oiseau ?

Ah, oui...

— Mike, compléta-t-il.

— Mick, corrigea-t-elle en allant vers la cage.

Sourire attendri aux lèvres, Johnny se mit à l'observer.

— Doucement, Mick, susurra-t-elle. Doucement. Je ne peux pas aller plus vite que la musique. Si tu continues, tu vas me faire tout renverser.

Avec précaution, elle versa de l'eau dans une coupelle de verre et déversa des graines dans la mini mangeoire.

L'oiseau piaffa de plaisir.

Tout en le couvrant de mots doux que l'animal semblait comprendre, elle agita une clochette accrochée à l'un des barreaux.

L'oiseau se mit à piaffer de plus belle et battit des ailes.

Quelle chance il avait, le petit bougre ! Quelle chance de partager la vie d'une maîtresse dont la priorité des priorités était de le nourrir et de l'aimer. Johnny se serait bien contenté de quelques miettes de cette attention mais, puisque ces marques d'amour ne lui étaient pas destinées, il allait lui aussi se concentrer sur ses priorités. D'abord, sa société. Puis, ses salariés. Ensuite…

Colombe choisit cet instant pour tourner les yeux vers lui.

Il semblait ailleurs. Presque étranger. Dépitée, elle se retourna vers son oiseau et se mit à gazouiller avec lui.

Après ses salariés, poursuivit Johnny mentalement, qu'est-ce qui comptait le plus pour lui ? Etait-ce cette femme affairée à chouchouter son oiseau et qui le regardait, attendrie ?

Il inspira profondément, inhalant des effluves de son parfum en suspension dans l'air. Instantanément, des images de la nuit passée s'imposèrent à sa mémoire. Sa peau, si douce et si parfumée sous la caresse de sa langue ; son corps, si tendre, si souple, lové contre le sien.

Il fit un pas vers elle mais se ravisa : c'était leur première fois. Il devait s'interdire de la brusquer et ne pas la prendre brutalement, là, sur son bureau, comme il en grillait d'envie.

Plantée devant la cage, une bouteille d'eau dans une main, les graines dans l'autre, elle s'était de nouveau tournée vers lui et le dévorait du regard. A chaque inspiration, ses seins se soulevaient sous sa robe, trahissant une respiration haletante.

— Tu as… faim ? demanda-t-elle.

— Oui, mais… non merci pour les graines.

Elle baissa les yeux sur ses mains et :

— Oh ! s'exclama-t-elle, rouge de confusion.

Il aimait sa voix timide, sa candeur charmante. Au bureau, personne ne lui parlait jamais sur ce ton.

— Je peux t'aider ?

Pourquoi lui posait-il cette question ? Il ne le savait pas vraiment. Peut-être parce qu'il sentait qu'il commençait à ne plus se contrôler et qu'il était urgent qu'il s'occupe ?

Colombe ayant recommencé à jouer avec son oiseau, il décida qu'il allait s'associer au jeu.

Il se leva, alla vers la cage et tapota le bras de Colombe.

— Alors, c'est toi, Mick ? dit-il, prenant l'air intéressé.

Oui, fit Colombe de la tête.

Ses jolis cheveux blonds lui balayèrent les épaules et une mèche resta accrochée à ses sourcils. Heureux de trouver un prétexte pour approcher la main de ce visage d'ange, Johnny ôta la mèche du sourcil et s'attarda légèrement sur la joue. Qu'elle était douce, et tiède !

— J'imagine que tu as d'autres amis que lui, dans la vie ? se hasarda-t-il.

Ce n'était peut-être pas d'une grande subtilité mais il fallait qu'il sache où elle en était de sa vie amoureuse. Son

56

comportement était tellement bizarre pour une fille de son âge que, pour un peu, il en aurait conclu qu'elle n'avait encore jamais eu d'expérience avec un homme.

Mais il se trompait sûrement.

Aujourd'hui, au vingt et unième siècle, les filles, il ne l'ignorait pas, savaient déjà tout de la vie sexuelle à dix ans.

Elle le regarda, comme étonnée de sa curiosité.

— Excuse-moi, dit-il, c'est toi qui m'as posé la question la première, alors je m'autorise à te la retourner.

Il s'arrêta une seconde et relança.

— Y a-t-il un homme dans ta vie ?

La réponse de Colombe cingla.

— Non.

Elle le regardait de son regard bleu vert, lumineux de franchise.

— Personne ne t'attend à Buena Vista ? Aucun boy-friend ?

« Rassure-moi, dis-moi que je ne suis pas le premier », pensa-t-il.

Une ombre passa sur le visage de Colombe.

— On... on a rompu.

Il avait obtenu sa réponse mais, tout compte fait, il regrettait maintenant sa question. A cause de son indiscrétion, il venait de ternir le bonheur de sa compagne. Cela se lisait dans ses yeux.

— Allez, ne parlons plus du passé. Dis-moi plutôt : Mick n'a pas de petite camarade ?

Elle fit non de la tête.

— Pourquoi ? Elle est morte ?

Elle hocha la tête. Oui.

— Il a beaucoup de chance de t'avoir comme maîtresse.

Colombe sourit, l'air content, mais Johnny se tut.

Cette conversation était absurde, se dit-il détournant les yeux vers les étagères qui ployaient sous les livres. La couverture de l'un d'eux était illustrée d'un dragon ailé poursuivant une bête imaginaire dotée d'yeux humains.

— Tu aimes le fantastique, on dirait ?

Il allait creuser. Creuser pour savoir ce qui se cachait derrière cette apparente timidité, derrière ce visage trop lisse.

— Oui, murmura-t-elle. Entre autres.

Entre autres ? Que voulait dire cet « entre autres » ? Entre autres genres de lectures ? En tout cas, elle avait parlé sans bégayer et c'était bon signe. Signe qu'elle se détendait. Il allait continuer à bavarder avec elle à bâtons rompus, dans l'espoir qu'elle se livre un peu plus. Mais, pour commencer, il allait lui suggérer de reposer l'eau et le paquet de graines.

— Tu ne veux pas te débarrasser ? demanda-t-il en désignant du menton ce qui lui encombrait les mains.

Elle fit oui de la tête et déposa graines et eau sur la table. Il lui prit alors la main. Elle était toute menue, toute douce dans le creux de sa poigne d'homme.

— Bien, dit-il. On a déjà parlé de ton oiseau et de tes livres. De quoi allons-nous discuter ?

Elle éclata de rire.

Il adorait l'entendre rire. C'était comme une cascade, légère, joyeuse, cristalline avec juste une petite pointe d'érotisme. Bon sang ! Il fallait qu'il se contrôle. Se mettre dans un état pareil à cause d'une simple voix, cela n'avait pas de sens !

Tenant sa main, il fit le tour de la pièce et s'arrêta devant la fenêtre. Il y avait là un canapé, flanqué, juste à côté, d'une table basse où traînaient des crayons, des stylos et des blocs de papier aux pages noircies d'une fine écriture. L'écriture de Colombe, certainement. Cela devait être son journal, son confident, et il devait être plein de ses rêves et de ses fantasmes.

Il eut envie de saisir les feuillets, mais un sursaut de discrétion le retint.

— Tu écris toujours ?

— Oui.

S'interdisant de déchiffrer à l'envers ce qu'elle avait écrit, il releva les yeux. Cela eût été violer son jardin secret.

Courageusement, il regarda dehors.

Juste en dessous, un lampadaire éclairait une venelle. En face se dressait une barre d'immeubles de brique dont les fenêtres avaient été murées. La vue avait beau ne pas être réjouissante, il était clair que c'était là que Colombe s'asseyait, sur le canapé, face à la fenêtre.

Sur le mur d'en face, elle avait punaisé des photos. Comme il était curieux d'elle, il se leva pour aller les regarder. Elle n'avait pas dégagé sa main et le suivit en silence. Sur la première photo, il y avait Colombe et son frère Bud. Elle datait de l'époque où Johnny et Bud étaient ensemble au lycée.

Un bail.

En ce temps-là, il partait souvent en virée avec Bud, son bon copain, dans sa vieille Cadillac qui n'en pouvait plus de rouler dans des chemins à peine carrossables. C'était l'année où ils jouaient tous les deux au football. Mais Johnny avait dû arrêter l'entraînement pour travailler le soir après les cours. Il revenait tout de même de temps à autre chez Bud, dans cette maisonnée qui résonnait de rires et de bonheur.

Ah ! Ce n'était pas comme chez lui...

— J'adorais aller chez toi, dit-il très bas, comme pour lui-même.

En guise de réponse, Colombe lui serra les doigts.

Johnny passa à la photo suivante. Elle était plus récente. La mère de Colombe avait les cheveux gris, mais son regard était toujours aussi bon. Bud se tenait debout derrière elle. Colombe était assise près de sa mère. Elle était tout sourire et pourtant, quelque chose dans ses yeux trahissait une blessure secrète.

— De quand date cette photo ? demanda-t-il.

Ce qu'il voulait savoir, c'était la raison de cette tristesse.

— D'avant… Denver, répondit-elle tout doucement en levant les yeux vers lui.

Pendant un moment, leurs regards restèrent soudés l'un à l'autre, et Johnny vit qu'elle était triste.

Que s'était-il passé pour qu'elle quitte Buena Vista ?

Pourquoi travaillait-elle dans ce restaurant minable ?

Devinant ses interrogations, Colombe dégagea sa main en haussant les épaules et fila vers une porte où elle s'engouffra.

Ne la voyant pas revenir, Johnny se dit qu'il ne lui restait qu'à s'en aller. Peut-être tout à l'heure avait-elle eu envie qu'il vienne mais, ces photos lui rappelant un événement douloureux, avait-elle subitement changé d'avis ? Sans doute s'agissait-il d'un souvenir très pénible, d'un malheur effroyable, celui qui expliquait le bouleversement dans sa vie, pour qu'elle réagisse de façon aussi brutale, en fuyant ?

Bouleversé par le chagrin qu'il avait involontairement provoqué et qui l'avait poussée à aller se cacher, il décida finalement de rester.

Quand elle reviendrait, il lui souhaiterait une bonne nuit et lui laisserait son numéro de téléphone. Ainsi, le jour où elle se sentirait d'humeur à le revoir, elle n'aurait qu'à l'appeler.

Mais le ferait-elle ? Elle devait détester le téléphone.

Il inspecta la pièce des yeux. Pas d'ordinateur. Il était inutile de lui laisser son adresse électronique. Tout bien pesé, il allait quand même s'assurer qu'elle souhaitait le revoir. Si elle répondait oui, il lui dirait qu'il l'appellerait bientôt, peut-être même demain, et ils iraient dîner ensemble. Si au contraire elle disait non…

Il était si absorbé dans ses pensées qu'il ne l'entendit pas revenir, mais un bruissement — un souffle, peut-être — dut l'alerter, car il leva les yeux.

Encadrée dans le chambranle de la porte, elle se découpait en ombre chinoise sur la lumière de la salle de bains qui l'auréolait d'un halo doré. On aurait dit un ange. L'ange du péché.

Johnny, sidéré, s'humecta les lèvres.

Elle s'était à demi dévêtue et arborait une guêpière de dentelle qui lui enserrait les seins dans ses balconnets de voile. Ses jambes étaient nues et elle avait un air modeste qui disait que, malgré tout, l'audace de sa tenue la gênait un peu. Les mains jointes devant elle, elle semblait attendre.

— Colombe ! lança-t-il, suffoqué.

Incapable de poursuivre, il se tut.

Cela faisait deux ou trois fois, ce soir, que les mots restaient étranglés dans sa gorge. Ce n'était pas normal. C'était à cause d'elle. Cette femme était sa démone, son impitoyable et adorable sorcière. Il la désirait à en perdre la tête : elle l'avait deviné et, comme elle le savait, elle en jouait. Il n'allait pas se laisser ridiculiser par elle. Pas lui !

Le président-directeur général d'Opticpower ! Cela ne lui était jamais arrivé. Cela n'allait pas commencer.

Le sentant déstabilisé, au lieu de répondre, Colombe alla mettre un disque. La voix rugueuse d'une chanteuse noire, soutenue par quelques notes de piano, emplit le studio.

Colombe se retourna. Johnny, interdit, la regardait.

Elle respirait un peu difficilement et cela se voyait aux mouvements de sa poitrine qui se soulevait quand elle inspirait. Devait-il réagir ? S'offusquer et exiger qu'elle se rhabille ?

Tout à l'heure, alors qu'il était si bouleversé de l'avoir peinée, qu'avait-il prévu de lui dire quand elle reviendrait ? Ah, oui ! Qu'il l'appellerait pour qu'ils aillent dîner ensemble un soir.

Il baissa les yeux. Seigneur... Elle ne portait rien sous sa guêpière !

Le souffle coupé, il releva les yeux. Elle était occupée à faire glisser tout doucement l'une de ses bretelles de satin sur son épaule.

C'était insoutenable.

Sens dessus dessous, il baissa de nouveau les yeux.

A quoi pensait-il, juste avant ? Qu'il allait la forcer à se rhabiller ? Mais puisqu'il était lui-même incapable de regarder ailleurs !... C'était trop beau, cette femme debout devant lui, à demi nue et qui s'offrait. Avait-il déjà reçu cadeau plus précieux ?

Remarquant la réaction de Johnny, Colombe sourit et abaissa la deuxième bretelle de sa guêpière. Un parfum de lavande qu'il connaissait bien imprégnait l'air. Si, un instant plus tôt, il avait vaguement songé à s'en aller, cette idée l'abandonna dès qu'il vit Colombe commencer à se déhancher au rythme langoureux de la ballade.

Il avait fait de gros efforts pour résister, mais il n'était qu'un homme, il ne fallait pas lui demander l'impossible. Incapable de se contrôler une seconde de plus, il se leva et la rejoignit sur le pas de la porte. Là, il l'enlaça et enfouit son visage dans ses cheveux.

— Moi aussi, je veux tout. Tu m'entends ? Je veux tout, murmura-t-il.

Elle s'écarta alors de lui juste ce qu'il fallait pour mieux le voir, et fit oui de la tête. Elle avait entrouvert les lèvres, ses lèvres pulpeuses, roses comme des pétales de fleur, et elle semblait attendre...

Ivre de désir, il l'attira à lui, l'étreignit de toute sa force, lui arrachant une plainte, puis il embrassa son épaule, lui jurant qu'il n'avait jamais caressé peau si douce, si lisse, si parfaite.

Ses lèvres courant sur sa peau, il descendit le long de son bras puis remonta vers ses seins lovés dans leur nacelle de satin.

Il aurait aimé la découvrir plus bas ; hélas, la guêpière qui lui pinçait la taille l'en empêchait. Il voulait pourtant la voir.

Bien décidé à l'admirer tout entière dans sa nudité, il entreprit de dégager ses seins de leur jolie prison.

Pour ce faire, il mordilla du bout des dents les balconnets de satin et réussit à les repousser. Les seins apparurent, vision divine. Deux seins roses, deux boutons couleur framboise et durs comme des perles... Du bout de la langue, Johnny les titilla lentement, puis les emprisonna dans sa bouche.

Colombe gémit — un gémissement où s'exprimaient son désir inassouvi et le plaisir entrevu.

Encouragé par cette plainte, Johnny glissa la jambe entre ses cuisses, prêt à la prendre.

Mais il ne fallait pas... Pas tout de suite, pas déjà...

A grand-peine, il s'écarta d'elle avec un soupir lourd. Il voulait à tout prix la voir nue. Il fallait qu'il la voie. Qu'il la caresse, s'enivre et se repaisse d'elle. Mais il voulait aussi que ce partage se fasse sans hâte, et non sous l'effet d'une violente et incontrôlable pulsion.

Impatiente, Colombe releva les paupières et l'interrogea du regard.

— S'il te... plaît... S'il... te plaît... , murmura-t-elle, étourdie de sensations folles.

Non, il ne voulait pas. Pas tout de suite. Il fallait qu'il lui explique qu'il ne voulait rien brusquer, qu'il voulait mesurer ses gestes, ses caresses... Mais, avant qu'il n'ait eu le temps de commencer à parler, elle se dégagea de son étreinte, comme agacée.

De quoi avait-il besoin pour comprendre qu'elle le voulait ? se demanda Colombe. Fallait-il tout lui dire ? Sa conduite, sa tenue, la musique n'étaient-elles pas suffisamment explicites ?

A moins...

A moins que l'idée d'une aventure avec une fille de son passé ne le rebute ? Peut-être n'était-elle toujours, pour lui, que la Colombe Lee sans histoire de Buena Vista, timide et bégayante, qu'il fallait continuer de protéger ? Peut-être avait-il peur de franchir avec elle le pas qui ferait d'eux des amants ?

Elle avait pourtant déployé beaucoup d'efforts de séduction pour qu'il voie qu'elle n'était plus une enfant. Que c'était à une femme qu'il avait maintenant à faire. Une femme avec des désirs, des fantasmes, des pulsions.

Sans le quitter des yeux, elle fit glisser sa guêpière. La lingerie dénuda son ventre, puis se froissa sur ses cuisses, sur ses jambes — ses belles jambes fines et interminables.

64

Elle dégagea un premier pied, puis le deuxième, en les soulevant l'un après l'autre.

Tout en accomplissant ces gestes superbes, elle le regardait avec toute la fièvre qu'il lui inspirait. Johnny suivait, lèvres sèches, yeux brillants.

Ravie de l'effet qu'elle produisait sur lui, elle sourit et s'appuya nonchalamment à l'huisserie, un genou replié contre le montant de la porte.

— Tu es belle, tu sais, murmura-t-il.

Il posa les mains sur ses hanches, sans appuyer, comme s'il avait tenu une statue très précieuse.

— Il y a trop de lumière, ici, décida-t-il.

Et il éteignit.

Il ne restait plus qu'une lampe allumée, et le studio baignait dans un doux clair-obscur.

Johnny plongea les mains dans les cheveux de Colombe et pencha la tête pour s'imprégner de leur parfum.

— Ils sont doux, eux aussi, murmura-t-il de nouveau, la voix rauque.

Lui prenant alors le visage à deux mains, il amena Colombe à le regarder.

— Je n'ai pas de préservatifs, dit-il tout bas.

En aurait-il pris, il ne le lui aurait peut-être pas avoué ; afin qu'elle n'imagine pas qu'il ait pu prévoir de passer la nuit avec elle — ou pire, avec une autre.

— Moi non plus.

Il s'en doutait. Il continua de la fixer.

— Nous essaierons d'être imaginatifs, alors.

Il balaya la pièce du regard et fixa de nouveau Colombe. Puis, reculant d'un pas, il lui fit signe de le suivre.

5.

Imaginatifs ?

Un frisson délicieux la parcourut.

Imaginatif en amour ? Elle n'avait jamais fait preuve d'imagination dans ce domaine ; ni rencontré un homme qui sache lui montrer de quoi il s'agissait…

— Viens, ma beauté, ma princesse…

La voix de Johnny était grave, rauque, pleine de désir. Enfin, l'homme qui la faisait rêver depuis toujours allait la prendre, lui faire connaître le bonheur suprême.

Elle passa devant la fenêtre, remarqua que la lune était pleine. Ses jambes semblaient se dérober à chaque pas tant elle était émue, et son cœur battait comme un fou.

— Viens, s'impatienta-t-il gentiment.

Gênée, elle sourit timidement et avança vers lui.

Il avait retiré sa veste et déboutonnait sa chemise, lentement, comme pour la faire languir.

Sa chemise défaite, il la posa sur le dossier du canapé. Il était athlétique. Puissant. Un duvet noir ombrait sa poitrine. Il devait être doux, cela se voyait.

Incapable de se retenir, elle glissa les mains dans les poils soyeux et les fit crisser entre ses doigts.

Mon Dieu ! Comme il était désirable ! Comme elle avait envie de lui !

Détachant son regard de sa poitrine, elle abaissa les yeux sur son jean qu'une ceinture de cuir maintenait serré sur les hanches. Comme elle saisissait la boucle pour la défaire, Johnny lui emprisonna les poignets.

— Ne me touche pas, dit-il.

Elle le regarda, l'air suppliant.

— Non, ne me retire pas mon jean.

Le ton était indéchiffrable. Plaisantait-il ou voulait-il la mettre à l'épreuve ?

Il porta les mains de Colombe à ses lèvres et les embrassa.

— Ce n'est pas une punition que je cherche à t'infliger mais, faute de préservatif, il faut que nous soyons raisonnables.

Colombe se mit à rire. Elle savait qu'il ne voulait pas lui faire prendre de risque mais qu'il la désirait au moins autant qu'elle avait envie de lui.

— Ne bouge pas, murmura-t-il en disparaissant à l'autre bout de la pièce.

Que cherchait-il ? Qu'avait-il imaginé de fantasque pour mettre du piment dans leur jeu amoureux ?

Eclairé par le rai de lumière de la lune, il reparut, des coussins plein les bras.

Des coussins ?

Il posa le vert par terre près de la table et garda le rose contre lui.

— Lève-toi et viens ici, ordonna-t-il tendrement à Colombe qui s'exécuta de bonne grâce.

La prenant alors par la taille, il l'assit sur la table.

Debout devant elle, Johnny se mit à sonder son regard.

— Es-tu sûre que c'est ce que tu veux ? s'inquiéta-t-il.

Il plaisantait ! N'avait-il pas encore compris qu'ils faisaient exactement ce dont elle rêvait depuis toujours ?

Elle fit oui de la tête.

Il se pencha alors sur son bureau et posa les mains de chaque côté de ses cuisses.

Le visage à un souffle, maintenant, de celui de Johnny, elle sentait son haleine tiède sur ses lèvres.

— Je sais que tu penses à mille et une choses, lui dit-il.

Elle le regarda en fronçant les sourcils.

— Mais je me moque de ce que tu as dans la tête. Ce qui est important, c'est toi, moi, et le plaisir que nous allons prendre. Tu es belle, Colombe. Tu es ma beauté.

Un instant, il crut qu'elle allait pleurer et s'en émut. Il n'avait jamais fréquenté de femmes aussi émotive, qu'un si petit compliment touche ainsi. Colombe, il est vrai, était différente de toutes les femmes qu'il avait connues jusqu'à présent. Elle était sans chichi et sans malice. Elle était émouvante de simplicité et de droiture.

Sentant un frottement contre sa jambe, Johnny se pencha. Colombe pressait son pied contre son jean. Relevant alors la tête, il vit qu'elle le fixait, l'air coquin. Il attrapa son pied et le leva.

— J'ai dit que je garde mon jean, murmura-t-il en lui embrassant le pied.

Doucement, sans se presser, il promena ensuite les lèvres sur sa jambe.

Le sentant approcher imperceptiblement du creux de ses cuisses, elle se mit à haleter.

Il aimait l'entendre haleter, il adorait la voir creuser les reins et lui tendre ses seins. Ils étaient pleins et ronds et appelaient la caresse.

D'un index paresseux, il se mit à dessiner des arabesques autour des pointes roses.

68

Se cambrant de plus belle, Colombe, éperdue, serra le visage de Johnny dans ses mains et l'attira à elle. Qu'attendait-il ? Mon Dieu, qu'attendait-il ?

Elle allait le lui demander quand elle sentit sa bouche se refermer sur son sein et frémit de plaisir. Elle le guida alors vers son autre sein, dont il prit la pointe entre ses lèvres et, l'entendant gémir, il gémit lui aussi.

Il recula alors et lui lança un regard canaille qui lui plut. Elle aimait son air plein de sous-entendus, la façon dont ses cheveux retombaient sur son front, sa respiration saccadée. Son genre pirate, en somme.

C'était aussi la première fois qu'elle prenait conscience de son pouvoir sur un homme et elle adorait cela.

Elle posa la main sur ses seins et, centimètre après centimètre, la laissa glisser sur son corps jusqu'au triangle entre ses cuisses, où elle l'enfouit. Les yeux brillants, Johnny la regardait faire.

Jamais elle n'avait osé rien de pareil devant un homme. Et aujourd'hui, elle trouvait ces gestes audacieux excitants ; et elle les accomplissait avec naturel, sans frein. Fallait-il qu'elle ait confiance en Johnny pour se livrer ainsi !

La voyant si épanouie, il sourit. Un sourire sans ambiguïté qui disait qu'il la comprenait bien.

Il se baissa pour prendre un pouf, l'installa devant elle et s'y agenouilla. Voyant qu'il approchait les lèvres du creux de ses cuisses, Colombe ôta ses doigts de leur cachette humide pour le laisser y poser la bouche.

Dans une plainte de bonheur, elle se tendit alors vers lui, se délectant du plaisir que lui donnait la langue experte de son amant. Puis, prise de fièvre, elle lui empoigna les cheveux, lui pressant la tête entre ses cuisses pour éprouver au plus profond d'elle-même l'ivresse des caresses.

Elle n'avait jamais connu ce plaisir-là. Le contact moelleux d'une langue sur les pétales de sa chair. C'était une torture exquise. Un supplice délicat et puissant.

Des décharges électriques la traversèrent, lui arrachant sanglots étouffés et sursauts. Les émotions se déchaînaient, et Colombe n'aurait su dire si elles étaient souffrance ou jouissance. A cet instant, une seule chose était sûre : elle ne voulait pas que ce bonheur s'arrête.

Soudain, au comble de l'excitation, elle se cabra. Puis, elle sentit perler au fond d'elle une pulsion qui grandit, enfla... Bientôt, à la faveur d'une ultime caresse, elle se tordit de plaisir et explosa... avant de retomber, anéantie et comblée.

Johnny s'allongea alors sur elle, la serra dans ses bras et déposa du bout des lèvres les baisers les plus doux sur ses joues enflammées. Ils restèrent ainsi, enlacés, un long moment, leurs cœurs battant à l'unisson.

Quand elle reprit ses esprits, elle eut envie de lui dire des mots tendres, de le remercier d'avoir su ainsi l'aimer et la chérir, d'avoir fait d'elle une femme... Mais elle savait que les paroles étaient superflues. Alors, plutôt que de parler, elle le serra à son tour dans ses bras pour qu'il sente, contre sa poitrine, battre le cœur fou de son amoureuse de toujours.

6.

Gêné par la lumière trop vive, Johnny cligna des yeux.
S'était-il endormi encore une fois sans éteindre ?

A force de veiller tard sur ses dossiers, il finissait par
s'endormir les lampes allumées. C'était une mauvaise habitude dont il faudrait qu'il se débarrasse. Heureusement, la
plupart du temps, William, le majordome qu'il avait engagé,
veillait au grain. Plus d'une fois, à potron-minet, il avait
fermé les lumières, éteint le téléviseur et jeté un plaid sur
les jambes de son maître endormi sur le canapé.

Mais William, grâce à Dieu, n'était pas parfait. Il aimait
— trop — parier sur les courses de chiens.

Johnny battit une nouvelle fois des paupières.

D'accord, William avait réduit l'éclairage, mais d'habitude
il tirait les rideaux. Cela ne lui ressemblait pas d'avoir oublié
ce détail. Et depuis quand le téléviseur grésillait-il ?

Enfin, il ouvrit les yeux en grand.

Nom d'un chien ! Il n'était pas chez lui !

… Et un oiseau gazouillait !

A l'autre bout de la pièce, une crête grise le narguait.

Cui-cui !

Johnny s'inspecta. Il était allongé sur un sac de couchage,
une couverture sur lui. Un flash — le coin du salon où il
dormait avec son frère, autrefois — lui traversa l'esprit,

aussitôt suivi d'autres images de son passé. Son frère qui disparaissait au milieu de la nuit, et lui qui se levait et partait à sa recherche. Ou son père qu'il entendait rentrer à l'aube et se cogner aux meubles tant il avait bu, en maudissant sa famille.

Johnny aurait pu demander à être adopté par une famille d'accueil — plus d'une fois la mère de Bud le lui avait proposé — mais il aimait trop son frère cadet pour le laisser tomber. Les bonnes fées avaient peut-être oublié de se pencher sur le berceau de Franky, mais Johnny, lui, ne l'abandonnerait pas. A plusieurs reprises, il lui avait donné des cours d'algèbre et avait été étonné par ses facilités. Franky avait aussi un talent de meneur, Johnny l'avait constaté plus d'une fois.

Non, Johnny ne pouvait pas quitter la maison, aussi sinistre qu'elle fut, parce qu'il ne pouvait accepter l'idée que personne ne s'occuperait de son frère.

Finalement, tous ses efforts pour sauver sa famille s'étaient soldés par un échec cuisant dont il ne se remettait pas. Depuis, il s'était bien juré de ne plus jamais retourner là-bas. Dans ce Buena Vista de toutes les misères.

Une voix qui chantonnait le ramena à la réalité.

Colombe.

La douce, la tendre Colombe.

Que faisait-elle à Denver ?

Pourquoi était-elle venue se perdre ici ? N'avait-elle pas envie de retourner à Buena Vista ? Chez elle ?

La nuit dernière, elle l'avait émerveillé par sa beauté. Son corps de déesse, sa peau de soie, cette façon impudique de s'offrir, et lui… Et lui, tel un adolescent affolé, s'était agenouillé devant elle, ne sachant comment la combler.

Il se frotta les mains sur la satinette du duvet et crut reconnaître sous ses doigts la douceur de sa peau. Une envie d'elle le fit violemment réagir...

Hier soir, malgré les mimiques insistantes de sa compagne, il s'était interdit d'aller plus loin. Il lui avait murmuré que la prochaine fois ils pourraient succomber tous les deux, mais pour l'heure...

L'arôme d'un café emplit soudain la pièce. Il leva les yeux. Elle était là, debout devant lui, les cheveux défaits, l'air épanoui. Il flottait autour d'elle comme une douceur d'enfance. Sans le moindre fard, sans aucune tricherie, elle se révélait encore plus vulnérable mais encore plus craquante. Encore plus désirable.

Il la regarda avec tendresse. Elle avait enfilé un long T-shirt, rose comme le coussin sur lequel il s'était agenouillé la veille, et tenait dans les mains deux tasses fumantes.

— Quelle bonne idée ! s'exclama-t-il en tendant le bras.

Sa tasse posée sur la moquette, il repoussa le plaid et tapota la place à côté de lui pour l'inviter à le rejoindre mais, se ravisant, il se leva et fila à l'autre bout du studio chercher les coussins.

Elle ne l'avait pas quitté des yeux. Il avait retiré son jean et ne portait plus qu'un slip bleu dont elle remarqua le tissu tendu. Etait-ce possible qu'elle lui inspire un tel désir ?

Elle rougit de confusion et nota qu'il l'observait et avait deviné son trouble.

— Non, je t'ai dit que nous ne devions pas nous précipiter, lui rappela-t-il alors.

C'était plus facile à dire qu'à faire ! songea-t-il.

S'il avait eu des préservatifs, il l'aurait prise là, tout de suite ! Juste le temps de lui enlever son T-shirt... Heureusement...

Malgré lui, il soupira.

— La prochaine fois, je te le promets, je ferai mieux.

Il s'assit... regonfla les poufs et s'y adossa.

Ils burent alors en silence ; et quand il eut fini sa tasse, elle lui en proposa une autre. Sans bégayer.

— Les médecins m'interdisent le café, répliqua-t-il.

Les beaux yeux verts s'assombrirent.

— Stress et café ne font pas bon ménage, c'est ce qu'ils m'affirment, ajouta-t-il.

Elle fronça les sourcils, visiblement intriguée.

— Et alors ?

Il n'avait pas pour habitude de s'étendre sur sa santé, ni sur celle des autres. Avouer qu'il était stressé aurait fait fuir les investisseurs et inquiété son personnel et son conseil d'administration, c'était donc un sujet tabou. De toutes façons, un tout petit souffle au cœur n'avait jamais mis la vie de quiconque en péril.

— Alors ? Rien.

Colombe avala une gorgée de café et reposa sa tasse.

— A propos, que fais-tu, dans la vie ?

Elle avait parlé d'un trait, sans achopper sur les mots. Jamais il n'aurait pensé qu'entendre quelqu'un parler couramment lui ferait autant plaisir.

— Ce que je fais ? répéta-t-il, hésitant.

Il eut été du plus mauvais goût, la voyant si démunie financièrement, de faire étalage de son succès professionnel et de sa fortune. Il voulait rester pour elle le Johnny d'autrefois, et personne d'autre.

— J'installe des fibres optiques, répondit-il évasivement. Je suis poseur de lignes, si tu préfères.

— Pour quelle... quelle société ?

74

Et voilà ! Par modestie, il avait éludé sa question, et elle, sentant qu'il ne disait pas la vérité, ne lui accordait plus sa confiance et bégayait de nouveau.

— Une société implantée dans la région. Et toi ? s'enquit-il pour détourner la conversation. Que fais-tu dans cette grande ville de Denver ? Je ne peux pas imaginer que tu sois venue ici pour travailler dans ce restaurant .

Voyant un nuage de tristesse voiler son regard, il regretta sa bévue.

— Excuse-moi, murmura-t-il, je suis balourd…

D'un geste de la main, elle balaya sa gêne.

— Je suis… à la fac.

— Et qu'étudies-tu ?

Elle sourit tristement et, joignant son pouce à son index, dessina un O.

Zéro ? Elle n'étudiait rien. Ça ne voulait rien dire ! A moins que…

Soudain, tout s'éclaira. Elle voulait dire qu'elle n'était plus étudiante. Pourquoi ? Que s'était-il passé pour qu'elle abandonne ?

Mille et une questions se bousculaient dans la tête de Johnny. Comme c'était frustrant de ne pouvoir discuter plus facilement avec elle. Pourquoi se trouvait-elle dans cette situation précaire ? Pourquoi sa voiture était-elle retenue au garage ? Il lui aurait bien proposé de l'aider mais, trop orgueilleuse pour accepter, elle aurait refusé.

Oh ! Il n'avait pas le droit de porter de jugement. Elle était libre d'avoir ses secrets. N'était-il pas jaloux de sa vie privée, lui aussi ? Heureusement, le temps viendrait à bout de sa résistance et elle finirait bien par se livrer. C'était une question de semaines. De mois, peut-être. D'ici là, il allait demander à Sheila de mener une enquête discrète pour identifier le garage où était consignée sa voiture et payer la note pour qu'elle puisse la récupérer.

Dans le silence du studio, Mick, de temps en temps, lançait son *cui cui*. Mais il y avait un autre bruit. Un *toc, toc, toc* régulier.

Intrigué, Johnny balaya la pièce des yeux et trouva le coupable : un réveil en plastique en forme de chat posé sur une étagère.

— 7 h 20... Je suis en retard, déclara-t-il.

Il était plus que temps qu'il s'ébroue, s'il voulait attraper le tramway et être à l'heure à sa conférence. Grâce au ciel, Sheila-la-prévoyante gardait toujours un costume et une chemise propres au bureau.

Il se leva d'un bond et commença à s'habiller.

— Je te téléphone, dit-il, enfilant son T-shirt.

C'était vrai, c'était une promesse.

Il vit le visage de Colombe s'allonger et devenir tout triste. Elle ne le croyait pas. Pouvait-il lui en vouloir de ne pas lui faire confiance ? Elle avait bien compris qu'il lui avait menti sur son métier. C'était un pieux mensonge, mais elle ne pouvait le deviner.

Furieux contre lui-même, il crispa les mâchoires.

Pourquoi ne lui avait-il pas dit la vérité ? Pourquoi ? Maintenant, elle ne le croirait plus.

Que cachait Johnny ?

Après son départ, Colombe se lova sur le canapé, face à la fenêtre. Des nuages s'amoncelaient dans le ciel qui devenait menaçant. Johnny n'était plus le même.

Hier soir, ils avaient fait l'amour, à leur façon, et toute la nuit il l'avait tenue dans ses bras. Elle avait adoré. Jamais elle n'aurait cru que s'endormir dans les bras de l'être aimé

76

pût être aussi délicieux. Mais, malgré le bonheur qu'elle venait de vivre, elle éprouvait un sentiment désagréable. Le Johnny qu'elle connaissait, le Johnny Dayton d'autrefois, avait cédé la place à un nouveau personnage, sombre, cachottier, dont la psychologie lui échappait.

Que cachait-il derrière son air morose ? Pourquoi semblait-il toujours sur la réserve ? Quel mystère entourait sa vie ? Qu'était devenu l'adolescent extraverti qu'il était ? Une question aussi simple que « Que fais-tu dans la vie ? » avait semblé le mettre mal à l'aise. Qu'y avait-il de mal à s'occuper de fibres optiques ?

Si ce n'est qu'il portait une superbe montre en or, bien au-dessus des moyens d'un simple employé.

Sans doute l'avait-il achetée un jour où il avait eu envie de flamber. De jouer les machos, comme le frère de Colombe l'avait fait quand il avait dépensé, en une soirée à Las Vegas, les huit cents dollars qu'il avait péniblement gagnés en trimant tout l'été ? Bien que cet argent fût destiné à payer ses études, sa mère ne s'était pas emportée. Elle s'était contentée de lui dire : « Tout, dans la vie, n'est que choix. L'être suprême a permis que tu fasses cette expérience pour que la prochaine fois tu prennes la bonne décision ».

La leçon avait porté. L'été suivant, Bud avait économisé pour s'inscrire en comptabilité.

C'était peut-être la même chose pour Johnny.

Il avait sans doute tout dépensé pour s'offrir cette folie. « Les garçons, en général, sont capables des pires bêtises. Il faut bien que jeunesse se passe ! disait souvent sa mère. C'est ce qu'ils entreprennent ensuite qui compte. »

N'empêche que tout cela n'expliquait pas son quant-à-soi. Si seulement Bud et lui avaient pu rester en contact... Elle aurait appelé son frère et lui aurait demandé ce qui s'était passé dans la vie de Johnny depuis qu'elle avait quitté Buena Vista…

Mais personne, chez elle, n'avait gardé le contact avec Johnny après son départ pour l'université. En revanche, tout le monde avait suivi les déboires de la famille Dayton. Franky, le petit frère, avait fini par se faire prendre et, après avoir purgé une peine de prison, avait disparu. M. Dayton, père avait continué à s'enivrer au Billy's Bar et à insulter tout le monde. Et puis, un sale matin de décembre, on l'avait retrouvé au bord de la route. Mort. Crise cardiaque, avait diagnostiqué le médecin appelé sur les lieux. Alcoolisme, avait chuchoté tout Buena Vista. C'était l'année où elle, Colombe, avait failli perdre sa mère dans un accident de voiture. Elle était tellement accaparée par elle qu'elle n'avait pu assister aux obsèques de M. Dayton. La rumeur racontait que Johnny n'était pas venu non plus. C'était pourtant son père. La mère de Colombe avait commenté : « Il y a des gens qui sont incapables de pardon ». Colombe avait préféré ne pas poursuivre la conversation, parce qu'elle-même ne pardonnait pas à sa mère de n'avoir pas su gagner son procès.

Colombe hocha la tête. Tout cela était du passé et elle n'allait pas refaire le monde. La seule chose qui l'intéressait, ce matin, était de savoir pourquoi Johnny avait tellement changé.

Peut-être lui avait-il dit la vérité concernant son métier et en avait-il honte ? Si c'était cela, il avait tort. Sa mère disait toujours : « Il n'y a pas de sot métier, il n'y a que de sottes gens. » Sa mère parlait d'or, mais Johnny avait de grandes ambitions dans la vie, et s'il avait échoué, il devait être meurtri.

Après le lycée, elle s'en souvenait fort bien, il avait obtenu une bourse et était parti poursuivre ses études sur la côte Ouest. A partir de là, elle avait perdu sa trace. Il était évident que s'il était poseur de lignes, c'est qu'il n'avait pas atteint son objectif. Comme elle, en somme, qui venait de claquer la porte de son université.

Colombe n'était pas une illuminée comme sa mère et se moquait volontiers de ses commentaires sur l'univers et l'Etre suprême. En revanche, constatant que leurs chemins, celui de Johnny et le sien, se croisaient encore, elle se demanda si, pour une fois, elle ne devait pas voir dans cet événement autre chose qu'une pure coïncidence. Un geste supra-naturel pour rapprocher deux êtres qui avaient l'échec en commun ?

La sonnerie du téléphone interrompit ses pensées.

« Suzanne Doyle », lut-elle sur l'écran.

Le Pr Doyle ? Son professeur préféré ?

— Allô ?

— Colombe ?

C'était bien la voix du Pr Doyle.

— Ici Suzanne Doyle... Vous vous êtes inscrite à mes cours et je remarque que vous n'y assistez plus. Que se passe-t-il ?

Colombe ne répondit rien.

Le silence se prolongeant, Suzanne Doyle reprit.

— Je voulais vous dire que c'est désolant car — j'aurais préféré garder cela pour moi, mais tant pis — vous êtes, et de loin, la plus brillante de mes étudiantes.

Colombe crut que son cœur s'arrêtait.

Jamais elle n'avait eu l'occasion de dire au Pr Doyle combien elle aimait ses cours, combien elle appréciait la passion qu'elle communiquait à ses étudiants. Mais, jamais non plus, elle n'avait eu l'occasion de lui dire combien parler devant les autres, faire des exposés en public lui coûtaient. C'était le moment.

Hélas, les mots pour le dire restèrent coincés dans sa gorge.

— Colombe, vous êtes là ? s'enquit Suzanne Doyle.

— Oui, mad... mad...

Impossible de finir sa phrase.

— Appelez-moi Suzanne, intervint le professeur.

Puis, de nouveau, ce fut le silence.

— Deuxièmement, reprit le professeur, je voulais vous faire une proposition.

La main crispée sur le téléphone, Colombe écouta avec attention.

— Vous avez une très bonne plume. Seriez-vous d'accord pour écrire des discours ? Cela vous permettrait de gagner de l'argent.

Ecrire des discours ? Gagner de l'argent ?

Un hoquet de surprise lui échappa.

— Parfait. Savez-vous vous servir d'un ordinateur ?

— Plus ou moins.

— En avez-vous un ?

— Non.

— Ce n'est pas un problème. Je peux vous prêter un portable. Je vous montrerai comment vous en servir et vous en dirai un peu plus sur le travail que j'attends de vous. Ce ne sera pas très compliqué. De toutes façons, vous avez suffisamment de talent pour satisfaire mes clients les plus exigeants.

Le reste de la conversation se perdit dans les limbes où Colombe s'était envolée...

Après avoir raccroché, elle serra les bras sur sa poitrine, heureuse comme jamais.

Ecrire... Pour de l'argent ! C'était trop beau. Elle qui quelques jours plus tôt encore se lamentait en silence sur son sort...

Sautant de joie, elle fila dans la kitchenette, ouvrit un paquet de papillotes et se servit.

Tout en savourant son bonbon, elle songea à la chance qui lui était offerte de pouvoir rebondir, comme son frère. Elle ne devait pas la laisser passer.

— J'ai suspendu votre costume dans votre bureau, déclara Sheila.

D'un pas vif, Johnny s'engagea dans le couloir.

— Merci. Je sais, je suis en retard.

En retard ? C'était pire que cela ! pensa l'assistante en jetant un coup d'œil à la très belle montre que son boss lui avait offerte pour son dernier Noël.

— Il est 9 heures moins deux. Tout le conseil d'administration vous attend… Ils vont croire que vous êtes tombé du lit…

— Tombé du lit ? ricana-t-il.

Elle se tut. Sheila et lui s'entendaient bien. Il aimait leur complicité : lui jouant les voyous, elle, les mamas abusives. Pour un enfant qui avait grandi sans garde-fou, il vivait maintenant entre deux mères envahissantes : William et Sheila.

Une idée lui traversa soudain l'esprit.

— Au fait, Sheila, vous aimez les courses de chiens ?

Elle écarquilla les yeux et, ne prêtant pas attention à la question, changea de sujet.

— Tout est dans votre attaché-case. Le bilan, les stats et les dernières études du service technique. Au fait, Christine y a attaché un mémo.

— A-t-elle essayé de mettre Brad à la porte ?

— Pas encore, répliqua l'assistante.

Sheila connaissait le sens exact de la question de son patron. Aussi fidèlement que si elle avait assisté aux conseils d'administration, elle était au courant de tout. Tous les e-mails, tous les appels téléphoniques passaient par elle. L'air de rien, elle regardait les responsables se glisser des peaux de banane sous les pieds. C'était comme si elle avait été le pilote d'un centre d'aiguillage.

— Mais ça ne saurait tarder ! Au fait, ajouta-t-elle en courant derrière lui, Penny a encore appelé.

Exaspéré, il soupira. Depuis le temps, Penny aurait dû comprendre qu'il était inutile de le poursuivre. Il y a huit jours encore, elle lui avait mis le marché en mains : mariage ou rupture. Il était prévenu. Mais il ne décidait jamais sous la pression. Et encore moins sous la menace. Elle le connaissait assez bien pour le savoir.

— Faites-lui porter une douzaine de roses avec mes excuses.

— La formule habituelle ?

— La même.

Sheila n'en était pas à son premier bouquet ! Bien qu'il détestât faire souffrir les femmes, Johnny était passé maître dans l'art de la rupture. Il le faisait toujours avec élégance et s'assurait ainsi l'amitié sans partage des femmes qu'il abandonnait.

Il ouvrit la porte de son bureau et s'arrêta sur le seuil. Tout d'un coup, à la pensée d'enfiler le costume de président-directeur général d'Opticpower, il se sentit paralysé par un fardeau trop pesant. Il en avait assez de mener sa barque tout seul. Qu'avait-il fait de sa vie d'antan ? Comme ils lui manquaient, les plaisirs tout simples auxquels il venait de goûter de nouveau.

— Apportez-leur du café et des viennoiseries, lança-t-il par-dessus son épaule et dites-leur que j'aurai quelques minutes de retard.

— Quelques… ?

— Dites-leur dix.

— Dix ? répéta-t-elle.

— Non, quinze. Oui, un quart d'heure.

Sheila souffla, nuançant son soupir d'un reproche.

— Et s'ils ne sont pas contents, dites-leur que quinze minutes, ce n'est pas la fin du monde.

Il sourit intérieurement, ravi de la décision que venait de prendre le Johnny d'autrefois qui sommeillait toujours en lui. Dans le fond, se dit-il alors, pourquoi ne pas faire débuter les réunions du conseil d'administration à 10 heures, dorénavant, et les limiter à une demi-heure ? Tout ce bla-bla était inutile et les questions importantes pouvaient se régler en deux fois moins de temps. Ainsi, on irait droit à l'essentiel.

Sheila s'éclaircit la voix.

— En retard pour en retard, vous n'en êtes plus à une question près : dois-je aussi faire porter des roses à… ?

« … A la dame qui vous vaut d'arriver en retard au bureau, les cheveux en bataille », disait ses points de suspension. Ah la maligne ! songea alors Johnny. Elle devinait tout. Mais, cette fois, curieusement, son intonation était différente… Un peu songeuse. Comme si… comme si…

Johnny inspecta sa table. Une épaisse plaque de verre sur des tréteaux d'acier massif. Dessus, des dossiers, encore des dossiers mais pas une photo, pas un objet personnel. Un désert anonyme.

De nouveau, Sheila s'éclaircit la gorge.

— Vous ne m'avez pas répondu : voulez-vous que j'adresse… ?

— Ah oui, dit-il se rappelant la question, bonne idée ! Mais ne faites pas porter de roses à cette dame.

Des images de leur nuit d'amour flottèrent devant ses yeux.

— Dites au fleuriste de composer un énorme bouquet de lavande…

Il s'arrêta, songea aux coussins tout vibrants de couleur.

— Qu'il y pique quelques fleurs orange et roses. Je veux que ce soit gai. Je vous donnerai l'adresse de la personne, en partant.

— Et sur la carte, insista Sheila, j'inscris la formule habituelle ?

— Non, dit-il, accompagnant sa réponse d'une mimique qu'elle ne lui connaissait pas. Vous écrirez : *Dans l'espoir d'un prochain petit déjeuner.*

— Parfait. Je m'en occupe tout de suite, répondit-elle un peu étonnée. Vous vous rappelez que vous prenez l'avion pour Rhode Island ce soir. Votre chauffeur vient vous prendre à 18 heures ici.

— 18 heures ?

Bon sang, il avait oublié qu'il devait faire visiter son usine à des clients japonais.

— Décollage à quelle heure ?

— 21 heures, de Brinconton airport, mais vous devez y être deux heures en avance.

Il avait dit à Colombe qu'il l'appellerait très vite, mais il avait oublié ce fichu voyage. L'annuler ? Ses équipes de Rhode Island travaillaient ce prospect depuis des semaines et tout était organisé : déjeuner, présentation de leur technologie, visite des laboratoires. Se faire remplacer par le directeur de l'usine serait mal perçu.

— Retardez mon départ de deux ou trois heures. J'ai des choses à régler avant de partir.

— Mais, monsieur, vous êtes booké sur le dernier vol. D'autre part, vous avez rendez-vous avec le président de Mediacâble pendant l'escale à La Nouvelle-Orléans pour discuter d'une éventuelle collaboration. Votre arrivée à Rhode Island est prévue à 6 heures du matin. Le directeur d'Opticpower de notre antenne locale vous attendra à l'aéroport.

D'habitude, Sheila l'appelait Jonathan. Quand elle lui donnait du « monsieur », c'est qu'elle était contrariée. Si seulement il avait bien voulu accepter le jet privé que son conseil d'administration était prêt à lui accorder ! Mais Johnny avait préféré dépenser l'argent de la société à des fins plus altruistes, comme des formations pour le personnel.

— Rappelez-moi à quelle heure le chauffeur vient me chercher ?

— 18 heures. Votre réunion est de 16 à…

— Je sais.

Ce genre de réunions se tenait toujours de 6 à 8 heures ; mais, ce soir, il allait changer cela aussi.

— Veuillez dire au conseil que la séance sera levée ce soir à 17h30, heure à laquelle je veux mon chauffeur ici.

Il dirait à son chauffeur de le conduire au Davey's restaurant parce qu'il fallait absolument qu'il voie Colombe, ne serait-ce qu'un instant.

A la pensée de l'odeur de lavande qui l'auréolait, de sa peau de soie, de ses magnifiques yeux verts, il se sentit plus heureux.

— Encore une chose, dit-il, visiblement joyeux. Commandez un troisième bouquet. Ce que vous voudrez pourvu que ce soit beau : des oiseaux de paradis, des orchidées, des… Faites pour le mieux.

Sheila, perplexe, le regarda.

— Et à qui dois-je faire porter celles-là ?

Elle avait appuyé sur *celles-là* pour lui faire entendre sa désapprobation.

— Eh bien, à vous, Sheila.

Comme elle le fixait, estomaquée, il lui fit un clin d'œil.

— Je veux surtout que vous preniez un jour de congé. Pas sur vos vacances. Un jour *off* aux frais de la société, pour faire l'école buissonnière. Vous l'avez bien mérité.

— L'école buissonnière ? répéta-t-elle comme s'il lui avait parlé chinois.

— Oui, j'aimerais que vous alliez aux courses de chiens avec... heu... avec un de mes collègues.

Après tout, William n'était-il pas une sorte de collègue ?

Sifflant comme un pinson, Johnny finit par entrer pour de bon dans son bureau et, après un ultime regard à sa secrétaire médusée, s'y enferma.

7.

Jamais de sa vie Colombe n'avait vu d'aussi belles fleurs. Et cette fois, elle n'exagérait pas. C'était la composition la plus originale et la plus somptueuse qu'elle ait jamais vue. Johnny ne s'était vraiment pas moqué d'elle !

Cela faisait quelques heures qu'elle était alanguie sur son canapé et qu'elle admirait le bouquet. Elle l'avait placé de telle sorte que Mick aussi puisse en profiter. Le petit oiseau devait s'imaginer qu'on l'avait transporté dans quelque nature lointaine. Dans la jungle, peut-être.

La jungle. C'est peut-être comme cela que Johnny la voyait. Capiteuse comme une fleur des Tropiques, se dit-elle en faisant tourner sa pantoufle au bout de son pied au rythme de la musique de Loading Data.

Le cœur battant au diapason, elle prit le mot sur le guéridon et lut tout haut.

— Dans l'espoir d'un prochain petit déjeuner.

Oh, oh ! Ils allaient donc bientôt se revoir… Il ne restait qu'à espérer qu'ils ne se contenteraient pas de boire un café ensemble. « Voyons, se dit-elle en se rallongeant sur le canapé, ce qu'un mauvais garçon et une sauvageonne peuvent faire ensemble. »

A la seule pensée de tout ce que l'on pouvait faire — déjà — avec juste un brin d'imagination, elle se sentit rougir et préféra penser à autre chose.

Johnny était parti travailler tôt ce matin et elle n'avait pas eu le temps de lui dire qu'elle n'était pas de service de nuit. Comme il était probable qu'il pointerait son nez au restaurant Davey ce soir, mieux valait qu'elle le prévienne pour ne pas qu'il se dérange inutilement. Mais elle détestait le téléphone. Tant pis, elle n'allait pas l'appeler. Elle l'attendrait chez elle et, vraisemblablement, il serait là vers minuit .

Elle jeta un coup d'œil au réveil : 8 heures moins vingt. Quatre heures à attendre ? Qu'allait-elle faire pour tuer le temps ?

Elle réfléchit un instant et claqua des doigts en souriant. Elle allait s'amuser à se composer des tenues sexy. Elle n'avait pas grand-chose dans sa garde-robe mais, avec de l'imagination, elle réussirait bien à se fabriquer quelque chose de pas mal. Il y avait ce short archi court qu'elle pouvait porter avec rien dessous. C'était un peu osé mais, après tout, n'était-ce pas ce qu'elle cherchait ? Elle avait aussi son sweat-shirt imprimé « UD Université de Denver », mais il n'avait rien de glamour. Un bustier sans bretelles ferait mieux l'affaire ; le problème c'est qu'elle n'en avait pas. Quel dommage, car elle se serait bien vue ouvrant la porte à Johnny, et lui restant bouche bée sur le seuil à la contempler.

Cela lui rappelait un jour lointain, quand elle avait douze ans.

Elle sortait d'un MacDo quand elle l'avait vu passer dans un cabriolet, accompagné de filles plus belles les unes que les autres qui lui parlaient et riaient de toutes leurs dents. Elle était restée plantée là, muette, bien sûr, et bleue d'envie.

Comme elle aurait aimé être à leur place !

Comme elle aurait aimé être capable, elle aussi, de lui chuchoter à l'oreille des mots coquins. Hélas !

Les nuits passées, elle avait quand même remarqué quesi les mots lui venaient avec mal, son corps parlait à leur place. A ses mouvements, Johnny avait compris ce qui la faisait jouir, ce qui était bon pour elle. Mais quand elle voudrait, elle, lui faire l'amour, comment devinerait-elle ce qu'il aimait ? Comment saurait-elle où le caresser, où le toucher ?

Avec son petit ami du lycée, il n'y avait guère eu de préliminaires. Le siège arrière de la vieille Cadillac ne s'y prêtait guère. Et puis, après l'accident, son petit copain était sorti de sa vie, lui reprochant de ne plus être disponible. Mais Colombe estimait de son devoir de s'occuper en priorité de sa mère avant de s'amuser. Si seulement elle avait été capable de s'exprimer le jour du jugement au tribunal, au lieu d'achopper sur tous les mots, la sentence aurait probablement été différente, et sa mère, ayant gagné, aurait eu de l'argent pour s'offrir du personnel médical qui aurait pris soin d'elle.

Toc toc.

Colombe revint à elle et consulta le coucou suisse, sur l'étagère. Presque 8 heures. Qui pouvait bien frapper ?

Sur la pointe des pieds, elle s'avança vers la porte et regarda par le judas. Des yeux brillants la fixaient de l'autre côté du battant.

Johnny.

Que faisait-il là ?

Colombe baissa la tête pour se regarder, et elle eut honte. Avec son T-shirt rose bordé de croquet deux fois trop grand pour elle et ses charentaises écossaises, elle était moche comme un pou. « L'homme de ma vie est de l'autre côté de la porte et voilà comme je suis mise! Bonjour la séduction ! » gémit-elle intérieurement. Peut-être n'était-il pas trop tard pour enfiler le short sexy et trouver un haut un peu plus excitant ?

Toc toc.

— Colombe ? Tu es là ?

Il avait la voix grave, avec des accents d'une sensualité incroyable.

Elle hésita. Que faire ? Se changer ? Le temps qu'elle trouve quelque chose de chouette à se mettre, Johnny serait reparti, c'était certain.

— Je... je... je suis là, bredouilla-t-elle.

Elle s'inspecta de nouveau, affolée. Un semblant de décolleté serait bienvenu, se dit-elle. De toutes ses forces, elle attrapa l'encolure de son T-shirt et tira dessus. *Crrrr...* cria le tissu en se déchirant lamentablement.

— Colombe, s'inquiéta Johnny. Tu vas bien ?

Tant pis ! Elle allait se montrer. Elle débloqua les deux loquets, tourna la poignée et tira la porte violemment.

Il était là, son Johnny, beau comme un jeune premier tout droit sorti d'un journal de mode. Un vrai séducteur. Avec ses cheveux noirs savamment décoiffés, ses yeux bleus bordés de cils interminables, un blazer bleu marine à double boutonnage... Il avait un charme et un chic fous. Très émue, elle s'humecta les lèvres et resta en contemplation.

Détail surprenant de sa part car cette recherche dans l'élégance ne lui ressemblait pas, il portait une cravate et avait glissé dans sa poche de poitrine une pochette assortie. Son pantalon affichait un pli parfait. Etait-ce lui qui écrasait si bien les plis ? Aux pieds, il portait des mocassins de daim. Du daim pour des mocassins ? N'était-ce pas trop ? Comme de porter des dessous de soie...

— Colombe ?

Comme en plein rêve, elle sursauta. Elle qui avait aux pieds des pantoufles ! D'abominables pantoufles écossaises, tout usées, dessus et dessous ! Quelle horreur !

L'envie de taper du pied de rage l'effleura, mais la pensée que ce geste ne ferait qu'attirer l'attention sur ses horribles charentaises la calma tout net. N'empêche...

Si seulement elle avait pu remonter le temps. Juste une petite heure, et enfiler son short de pompom-girl. Elle aurait été quand même plus affriolante...

— Tu vas bien ? Tu es sûre ? s'inquiéta de nouveau Johnny.

Elle hocha la tête, l'air de rien, mais, elle le savait, sa honte se lisait sur son visage. Peut-être n'était-il pas trop tard pour tenter de limiter le désastre ?

Souriant jaune, elle s'ébouriffa les cheveux dans l'espoir que l'attention attirée par sa coiffure à la Elisabeth Hurley, Johnny ne remarquerait pas son vilain T-shirt.

— Que se passe-t-il ? insista-t-il. Tu n'as pas l'air dans ton assiette.

Forçant le passage, il entra et referma derrière lui.

— Je n'ai pas beaucoup de temps... Juste quelques minutes.

Quelques minutes ? Elle se raidit malgré elle.

Non, elle n'allait pas lui montrer qu'elle était déçue. Cruellement déçue. Effondrée, même. Sans doute, après l'avoir vue dans cette tenue peu érotique, avait-il décidé qu'il n'avait rien à faire d'elle et préférait-il ne pas s'éterniser ?

— Viens ici, murmura-t-il en l'attirant à lui.

Il sentait bon, une odeur virile de musc. Elle appuya sa joue sur le revers de sa veste et se frotta. Le tissu était doux, incroyablement doux. Sans doute était-ce ce tissu dont elle avait lu les qualités dans les magazines de mode ? Du cachemire ? Ou peut-être même du pashmina ?

Comme elle se blottissait contre lui, elle sentit soudain un filet tiède contre sa tempe. Il avait posé les lèvres sur son visage et descendait maintenant vers son cou. C'était chaud. C'était moelleux. C'était merveilleux. Elle sentit le duvet de ses bras se hérisser. La chair de poule ! Ses émotions la débordaient...

Soudain, indifférente à son accoutrement autant qu'à sa coiffure, elle se frotta contre lui comme une chatte câline et avide de tendresse. Le ciel aurait pu lui tomber sur la tête, plus rien ne comptait que le parfum musqué de cet homme, la chaleur de son haleine, ses mains plaquées sur son dos et qui la caressaient.

— Comme tu es tendre, lui chuchota-t-il dans le cou, faisant voleter des petites mèches folles autour de son oreille. Laisse-moi te regarder.

Il recula sans la lâcher et la détailla des pieds à la tête, de ses pantoufles au fouillis de ses cheveux.

— Tu es belle, tu sais.

Interloquée, incrédule, elle resta un instant à le regarder, bouche bée. Cet homme la trouvait belle ? Dans ses guenilles ? Non, elle rêvait.

— Il est 8 heures, déclara-t-il soudain. J'ai fait un saut chez Davey's, pensant que tu y serais, mais je me suis cassé le nez. Maintenant, il faut que je parte : je dois être à l'aéroport à 9 heures.

Il vit qu'elle était surprise.

— Les affaires, ajouta-t-il sans s'étendre.

La sentant malheureuse, il lui promit qu'il ne serait pas long.

— Je m'absente quelques jours. A mon retour je t'appelle, c'est juré.

Elle se sentit soudain complètement désemparée. Quelle cachotterie lui faisait-il encore ? Que devait-elle penser ? Ses yeux bleus brillaient de désir mais il avait, en même temps, dans la voix, quelque chose de terriblement désinvolte.

Il dut lire sa détresse car il ajouta :

— Je vois que tu te mets encore martel en tête.

Il ne croyait pas si bien dire !

Il avait toujours les mains sur son dos et ses doigts couraient le long de sa colonne vertébrale.

Comme elle était tendue ! Il le sentait sous ses doigts.

— Ne t'inquiète pas, lui murmura-t-il à l'oreille. Je pars *vraiment* pour affaires et je t'appellerai *vraiment*. Mais il y a une chose qui m'ennuie...

« Ma coiffure ? » se dit-elle.

— Je suppose que tu ne réponds pas au téléphone ?

Elle avait fait fausse route : ce n'était pas ses cheveux. Soulagée, elle hocha la tête.

— Ecoute, j'ai une idée. Quand je t'appellerai, je laisserai d'abord sonner deux coups puis je raccrocherai et je recommencerai. Comme cela tu sauras que c'est moi. Et tu pourras décrocher.

Un code, en somme. Rien que pour eux. Jamais personne n'avait songé à mettre au point un tel stratagème. C'était donc qu'il avait vraiment l'intention de lui téléphoner. Peut-être, finalement, était-il un petit peu attaché à elle ? Juste un tout petit peu ?

Un merveilleux sentiment de bonheur la fit sourire mais, se sentant ridicule, elle s'empressa de se raisonner.

— Mais, si après avoir décroché tu ne veux plus parler, ne t'inquiète pas, je comprendrai. Je te donnerai de mes nouvelles, je te demanderai comment tu vas et, si tu ne réponds pas, je saurai que tu n'as pas envie de parler. D'accord ?

Il la regardait avec une infinie tendresse.

— D'accord, répondit-elle.

Il la tenait toujours serrée contre lui et, machinalement, caressait le croquet de son T-shirt déchiré à l'encolure.

— Tu es belle, reprit-il d'un ton songeur.

Presque timide entre ses bras, elle sentit soudain la main de Johnny écarter l'échancrure de son tricot, glisser sur ses seins, puis plus bas, vers son nombril.

Sa voix rauque s'éleva alors.

— J'ai envie de toi. Tu me rends fou.

D'un geste impétueux, il attrapa son T-shirt par l'ourlet et le serra dans son poing comme pour le lui ôter — mais il en resta là.

— A mon retour, je te promets qu'on va faire l'amour, toi et moi. Nous prendrons tout notre temps...

Il enfouit de nouveau la main dans son décolleté et lui taquina la pointe des seins.

— Je veux te faire du bien, partout... Toute la nuit...

Transportée par les délices que cette promesse lui laissait entrevoir, Colombe se mit à ronronner de plaisir. Puis elle rejeta la tête en arrière, le regard perdu. Johnny lui entoura alors la nuque d'une main ferme et l'attira à lui. Serrée dans ses bras, sans résistance, Colombe s'abandonna au baiser le plus ardent qu'elle ait reçu de sa vie.

Perdant toute pudeur, elle se mit à onduler contre son amant. Leurs corps étaient comme fusionnés l'un avec l'autre, comme faits l'un pour l'autre. Un instant, Johnny songea à annuler son déplacement — mais la raison reprit le dessus. Non sans mal. Il approfondit son baiser, sa langue joua avec celle de sa compagne Et plus il l'embrassait, plus il lui semblait faire sa place en elle, dans ce creux merveilleux où il brûlait de se perdre.

C'était fou ! Aucune femme ne lui avait jamais inspiré un tel désir, de telles pulsions. Il allait lui arracher ce T-shirt et cette petite culotte de pilou dont il avait frôlé l'élastique sous son nombril. Un mot d'elle, un gémissement, une plainte et il allait l'adosser à la cloison et la prendre. La posséder et l'entendre crier son plaisir. Rien ne pourrait l'arrêter. Il avait trop envie d'elle. De ses lèvres, de son ventre... Oh oui ! De son ventre. De plonger son sexe en elle et de la sentir, humide et vibrante, se refermer sur lui.

Mais elle ne gémit pas, n'émit pas une plainte, pas un son. Juste son souffle exquis. Et c'était tant mieux ! se dit-il finalement en desserrant son étreinte. A son retour, il la prendrait sans la brusquer, comme il le lui avait promis. Ce serait bien ainsi. Il voulait être son Johnny, le même garçon tendre qu'elle avait connu autrefois, et rester digne de sa confiance.

Il voulut le lui dire mais, secoué par la violence des émotions qu'il venait de traverser, il ne put s'exprimer. Cette incapacité lui donna envie de sourire. Il se croyait le plus fort ? Le maître du jeu ? En le réduisant au silence, Colombe venait de lui démontrer le contraire.

Il prit son visage entre ses mains et, du bout des pouces, lui caressa les joues. Elles étaient toute chaudes sous ses doigts. Il hésita. Il allait rester, faire faux bond à ses Japonais.

Son regard se troubla.

Déchiré entre son devoir et son plaisir, il soupira.

Non, il ne pouvait pas. Il ne devait pas.

Il allait partir, maintenant, tout de suite, tant qu'il lui restait un soupçon de raison, tant qu'il lui restait une miette de contrôle sur lui-même.

Soupirant comme un malheureux, il se raidit, repoussa Colombe et fila vers la porte qu'il claqua derrière lui.

Absolument hébétée, Colombe resta immobile au milieu du studio. Quelle mouche l'avait piqué pour qu'il se sauve ainsi ? Elle n'avait pourtant pas rêvé : deux secondes avant de se précipiter dehors, il la serrait dans ses bras et lui témoignait son ardeur. Elle l'avait bien senti, long et dur contre elle. D'ailleurs, si elle s'était laissée faire…

Quoi qu'il en soit, c'était fini. L'amoureux venait de s'évanouir dans la nature. De jouer les fantômes.

Pourquoi ? Pourquoi avait-il agi ainsi ?

Elle alla à la fenêtre, releva un coin du rideau. Au loin, une silhouette marchait d'un pas vif. Rêveuse, décontenancée, Colombe resta postée là. Elle aurait dû se douter. Johnny n'était plus pour elle. En plus de son comportement excentrique, d'autres anomalies l'avaient frappée : son costume de grand couturier, trop chic pour le simple salarié qu'il était. Sa montre de prix. Son bronzage… Au début, ces détails lui avaient sauté aux yeux mais ne l'avaient pas intriguée. Un besoin de *show-off* typiquement masculin, pour se rassurer, avait-elle pensé.

Elle releva un peu plus le rideau. Qu'avait-il comme voiture ? Il avait pu faire une folie pour un costume, à la rigueur pour une montre. Mais une voiture… cela ne trompait pas.

Curieuse de savoir dans quelle auto il allait monter, elle le suivit des yeux. Il y avait la petite deux-portes beige au bout de la rue et, juste devant, un vieux pick-up. La camionnette devait lui appartenir.

Elle allait bientôt le savoir car il approchait. Elle le vit ralentir, stopper. Que faisait-il ? Avait-il oublié où il était garé ? Soudain, une superbe voiture noire s'approcha du trottoir où il était arrêté et vint se garer à sa hauteur. Il se pencha, ouvrit la portière arrière et s'engouffra dans l'habitacle.

Perplexe, Colombe laissa retomber le rideau. Ce n'était pas n'importe quelle voiture : c'était une limousine avec chauffeur !

Se ravisant soudain, elle ouvrit la fenêtre en grand pour regarder dehors.

Au loin, à l'angle du boulevard et de sa rue, deux feux arrière disparaissaient dans la nuit.

Des vêtements chers. Une montre sans prix. Une limousine… Dans la vie, elle ne mettait rien au-dessus de la vérité… Et, manque de chance, Johnny lui mentait. Un simple poseur de câbles ne pouvait s'offrir des folies pareilles. Toute sa vie, même, n'y suffirait pas. De plus, il semblait très à l'aise dans ce luxe qui ne lui ressemblait pas. C'était à croire qu'il était né avec une cuiller d'argent dans la bouche.

Elle gratta la moquette du bout de sa pantoufle. Où était le vrai ? Où était le faux ?

Troublée, agacée, elle referma les battants de la fenêtre et se retrouva seule avec son doute.

— Allô, Colombe ? Ici Suzanne. Je suis en bas avec l'ordinateur portable. Puis-je monter ?

Cela faisait une heure à peine que Johnny avait disparu dans la nuit, et la visite de Suzanne tombait à point nommé. Cela lui éviterait de trop gamberger.

Colombe se dépêcha de troquer son T-shirt déchiré contre un jean et un sweat-shirt, se recoiffa — Johnny lui avait dit qu'il aimait sa coiffure : il devait être un fieffé menteur — enfila des baskets correctes et ouvrit la porte.

Suzanne entrée, Colombe lui proposa le canapé mais, sans doute habituée à enseigner debout, elle resta appuyée au rebord de la table, laquelle était encombrée de blocs de papier aux pages noircies d'encre et de dictionnaires.

— Je vois que vous étiez en train d'écrire, commenta le professeur. Et que vous vous aidez de dictionnaires. Cela tombe bien, car la société pour laquelle vous allez travailler ne transige pas sur la précision du vocabulaire. Il s'agit d'Opticpower. Vous devez connaître. On a beaucoup parlé d'eux ces jours-ci, dans la presse.

Colombe avait effectivement vu de la publicité pour leurs téléphones portables à la télévision, lu quelques gros titres sur leur cours de bourse dans le journal local, mais, très honnêtement, elle ne s'y était pas attardée.

— Oui, répondit Colombe. J'ai vu quelques articles mais si vous pouviez m'en dire plus...

Suzanne s'exécuta de bonne grâce.

— Opticpower, comme son nom l'indique, commença-t-elle, est une société spécialisée dans les fibres optiques. Inquiète, à juste titre, d'avoir pour unique client les Télécommunications, elle a cherché à se diversifier et s'est lancée avec succès dans l'économie de services. Elle propose aujourd'hui, outre la téléphonie grand public, l'accès à Internet et une gamme de logiciels informatiques.

Colombe opina de la tête.

— De quelque cinq cents salariés au départ il y a cinq ans, elle compte aujourd'hui trente mille employés environ, poursuivit Suzanne Doyle. Son succès tient essentiellement au dynamisme d'une direction très réactive que les media ont eu vite fait de baptiser « les golden boys des Télécoms ». Des rumeurs ont couru sur quelques irrégularités dans la gestion de l'entreprise : c'est pour cette raison que le président-directeur général, cédant à la pression de son conseil d'administration, nous a demandé de lui rédiger un discours destiné à faire taire une fois pour toutes les insinuations. L'importance de l'enjeu ne doit pas vous échapper.

Suzanne se passa la main dans les cheveux..

— Le directeur de la communication d'Opticpower a fait appel à moi parce qu'il s'est rappelé que j'avais enseigné l'art de rédiger des discours au responsable qu'il avait recruté, en partie, pour cette fonction. Malheureusement, celui-ci les a quittés. Le dir-com m'a donc demandé comme un service de me charger de cette mission délicate, mais je sais que vous, Colombe, ferez cela très bien.

Suzanne sourit, visiblement confiante.

— Puis-je vous demander un verre d'eau ? J'ai donné des cours toute la journée, je suis aphone.

Elle sourit de nouveau.

— Certains de mes étudiants ne s'en plaindront pas !

Comme Colombe se dirigeait vers la kitchenette, Suzanne lui emboîta le pas.

Quelle drôle de coïncidence ! Elle, d'habitude si seule, comptait subitement deux amis en deux jours. On ne l'avait pas habituée à tant d'amitié.

— J'adore votre intérieur, lança soudain Suzanne. C'est plein d'idées originales. Vous devez être très imaginative.

Après la soirée passée avec Johnny, le mot fit tilt. Et elle rougit.

Elle regarda Suzanne, étonnée. Qu'avait donc son intérieur de si créatif ? Peut-être cette impression venait-elle de la peinture jaune des murs ? Ou des gravures qu'elle avait accrochées aux cloisons ?

Suzanne caressa du doigt la corbeille à fruits suspendue près du réfrigérateur.

— J'ai l'impression de me trouver sur un marché provençal, dit-elle.

La Provence ? Le sud de la France ? Que pouvait-elle répondre à une comparaison aussi osée entre sa modeste kitchenette et un marché provençal ? Sans doute Suzanne remarqua-t-elle la gêne de son étudiante car elle s'empressa d'ajouter :

— Le jaune des murs, les gravures, les merveilleuses couleurs des fruits et des légumes dans ce panier...

Colombe se tourna vers le panier. Qu'avait-il donc de si exceptionnel ? Tout le monde n'achetait-il pas des aubergines, des poivrons, des tomates et des bananes ?

— Vous avez choisi les fruits et les légumes les plus beaux et vous les avez disposés avec goût, ce n'est pas donné à tout le monde. Vous avez l'âme d'une véritable artiste, Colombe.

Suzanne se tourna alors vers une toute petite maison en terre cuite posée sur le plan de travail.

— Et ça ! Regardez-moi ça ! C'est absolument adorable.

C'était le passe-temps favori de sa mère. Mme Lee adorait créer ces maisonnettes, les reproduire le plus fidèlement possible et les peindre ensuite pour en faire des cadeaux ou les vendre lors de brocantes. Elle en faisait une ou deux par mois. Cela la détendait.

— Oh !

Suzanne se pencha vers un petit cadre, sortit des lunettes de sa poche et lut :

— *L'espoir est cette chose à plumes perchée dans l'âme, qui chante mais ne parle pas et qui ne s'arrête jamais.* Signé : Emily Dickinson.

Elle se tut, fixa Colombe, les yeux brillants.

— Ce poème vous ressemble, murmura-t-elle.

8.

— Tu trouves qu'il me ressemble, Mick ?

Colombe avala un peu de café et repensa à la réflexion de son professeur.

Qu'y avait-il de commun entre ce poème et elle ?

A première vue, pas grand-chose.

De toutes façons, que connaissait Suzanne de son étudiante ? Si elle savait que Colombe bégayait quand elle parlait, elle n'avait pu deviner qu'elle ne bégayait ni quand elle chantait ni quand elle était en colère, ce qui, hélas, lui arrivait rarement.

Sa dernière vraie colère, se rappela-t-elle alors, remontait à la nuit des temps, à ce jour où son frère s'était moqué d'elle à cause d'une robe de soirée que sa mère lui avait achetée et dans laquelle, avait-il ricané, il trouvait qu'elle ressemblait à une « barbe à papa. »

Comme son frère ne se moquait jamais de ses tenues ni de quoi que ce soit, sa mère avait rendu la robe pour un échange.

Colombe but une nouvelle gorgée de café.

Quel dommage qu'il n'y ait pas eu d'orthophoniste à l'école. Buena Vista était un trou et, de toutes façons, une rééducation aurait coûté trop cher. Et puis, Colombe n'avait

102

jamais pensé qu'un jour elle serait amenée à s'exprimer en public.

C'était à cause de Johnny qu'elle y pensait soudain. Parce que c'était compliqué de communiquer avec lui. Il se donnait pourtant du mal pour trouver des idées qui lui simplifient la vie et elle appréciait ses efforts, mais cela ne suffisait pas.

Et, comme elle brûlait d'envie d'échanger avec lui, elle se sentait frustrée. Ils avaient tant de choses à partager en commun. Les petits détails du quotidien, ou les grands événements comme le speech qu'elle devait rédiger pour Opticpower, et ses rêves, aussi, et les livres qu'elle avait lus.

Elle jeta un regard à son coucou — 7 heures.

Hier, elle avait promis à Suzanne de lui présenter une première mouture de son discours ce matin. Deux ou trois pages, ce n'était pas la mer à boire. Elle y avait longuement réfléchi la nuit dernière, avait classé ses idées. Le plus difficile était fait. Il ne lui restait qu'à rédiger. Elle n'avait qu'à s'y remettre.

Elle relut les instructions que lui avait laissées Suzanne. Ton professionnel mais léger. Rappeler qu'Opticpower était soumis aux mêmes règles que les autres fournisseurs en télécommunication et qu'il les respectait. En bas de la feuille, elle avait inscrit quelques notes concernant l'utilisation de l'ordinateur.

Deux tasses de café plus tard, Colombe adressa son discours par e-mail à Suzanne. Dopée par l'adrénaline et la caféine, elle se mit à arpenter son studio comme un lion sa cage. Pourvu que Suzanne la rappelle vite. Elle était anxieuse d'entendre ses commentaires.

Passant devant son réveil, elle lui jeta un coup d'œil : 9 heures passées. Elle aurait sûrement des corrections à apporter à son premier jet. Il fallait que Suzanne se dépêche, car elle devait prendre son service chez Davey's à 3 heures et demie.

Comme rien ne se produisait, elle se posta devant la cage de Mick et engagea un monologue avec lui. Il fallait à tout prix qu'elle se calme les nerfs en parlant à quelqu'un.

Mick s'agita sur son perchoir et se suspendit tête en bas. Amusée par les facéties de ce gentil petit farceur, elle pouffa de rire.

— Tu es un clown, Mick, et moi je ne suis qu'une vieille fille en puissance.

A ce moment, une voix électronique interrompit son monologue.

— Vous avez du courrier !...

L'ordinateur. Suzanne lui répondait déjà. Quelle merveille que la technique, se dit-elle, enthousiasmée.

Les corrections étaient minimes. Et Suzanne lui demandait, une fois celles-ci effectuées, d'adresser directement le discours au P.-D. G. d'Opticpower.

D'un geste machinal, Colombe tendit la main vers sa tasse de café froid.

Suzanne lui expliquait que le P.-D.G. devait prononcer son speech plus tôt que prévu, soit le lendemain matin. Il était donc plus simple que le document ne transite pas par elle.

Etre en contact avec le P.-D.G. d'Opticpower en personne ne lui faisait pas peur. Par le biais du courrier électronique, tout était très facile. Le post-scriptum de Suzanne, en revanche, était étonnant.

« Colombe,
» Le dir-com d'Opticpower m'a donné son feu vert pour que ce travail soit fait en externe, cependant il a insisté pour que mon nom seul soit mentionné. Je vous demande donc,

104

dans vos échanges avec le P.-D.G., e-mails ou autres, de faire en sorte que seul mon nom apparaisse. Ce sera plus simple pour tout le monde et, paraît-il, plus rassurant pour le P.-D.G…

» Vous avez produit un travail magnifique. Bravo.

» Sincèrement,

Suzanne »

Signer ses e-mails Suzanne ? Elle n'aimait pas cette idée. C'était tricher.

Elle relut le courrier, le message était clair. A son corps défendant, elle s'y conformerait, mais vraiment pas de gaieté de cœur, car cela allait contre ses principes.

A midi, Colombe était prête. Elle allait pouvoir envoyer son discours corrigé à M. le Président-directeur général d'Opticpower. Suzanne n'avait pas manqué de lui donner son adresse e-mail : Jpd@opticpower.com

Après avoir relu une dernière fois son texte, elle se décida. *Le mieux est l'ennemi du bien*, lui avait souvent répété sa mère. Et elle avait raison. C'était une qualité d'être perfectionniste mais un défaut de ne savoir s'arrêter. Décidée, donc, elle cliqua sur « envoyer ». Le texte à peine parti, la petite voix électronique se fit entendre de nouveau : « Vous avez du courrier ».

Peut-être était-ce un message tardif de Suzanne qui avait oublié un détail ? Ou qui voulait que Colombe rajoute que…

Inquiète, Colombe consulta sa boîte à lettres.

C'était une réponse de Jpd@opticpower!

Bon sang ! Quand Suzanne lui avait dit que le P.-D.G. ne plaisantait pas avec le vocabulaire, elle n'avait pas exagéré.

« Je n'aime pas l'emploi du mot "robuste", aussi vais-je le remplacer par autre chose. A part cela, c'est parfait. Merci », disait le mail.

C'était parfait... Colombe, satisfaite, relut la réponse. Monsieur le P.-D.G. appréciait son discours — c'était gratifiant — mais il n'avait pas pris la peine de signer son message. Sans doute les P.-D.G. étaient-ils trop occupés pour s'embarrasser de détails aussi insignifiants ? Ils avaient d'autres sujets à régler autrement plus importants.

Après s'être délectée tout l'après-midi du satisfecit d'Opticpower.com, elle décida de se préparer et, le cœur en joie, prit la direction de Davey's pour relever l'équipe de jour.

Il était bientôt minuit et Alberto terminait de nettoyer la cuisine.

— Hé, ma jolie ! Quelqu'un te raccompagne ?

Etonnée, Colombe jeta un regard autour d'elle pour voir à qui s'adressait le « ma jolie ». Dorothy fumait une cigarette dans l'arrière-cuisine tout en téléphonant à une amie. C'était donc, elle, Colombe, la « jolie ».

— Non, je suis à pied, répondit-elle.

— En ce cas, on te raccompagne, Dorothy et moi.

Dorothy et moi... Ils étaient donc ensemble ! Un peu envieuse, Colombe se rappela le bonheur qu'elle avait ressenti quand Johnny l'avait raccompagnée chez elle. Bizarrement, ils avaient marché pour rentrer. Pourquoi Johnny n'avait-il pas de voiture ? Etait-il donc si juste, financièrement ? En ce cas, il n'aurait pas emprunté de limousine, l'autre jour. C'était sûr, il cachait quelque chose. Elle qui était si attachée à l'honnêteté, la franchise, la transparence...

106

— Dorothy, ma poupée. Raccroche, on ramène Colombe chez elle : elle est à pied.

Alberto, finalement, n'était pas un mauvais bougre. Il demandait à être connu, c'était tout. Colombe s'en était rendu compte ces derniers jours, à plusieurs occasions.

Il éteignit le restaurant et, précédé de Dorothy et de Colombe, se dirigea vers son pick-up vert stationné sur le parking, derrière le restaurant. Colombe s'assit sur la banquette avant, Alberto s'installa au volant, Dorothy se retrouva coincée entre les deux. Alberto posa la main sur la cuisse de Dorothy qui se serra contre lui en gloussant. Colombe n'aurait jamais imaginé que ces deux-là tomberaient un jour amoureux l'un de l'autre. Il est vrai qu'elle n'aurait jamais imaginé non plus que Johnny puisse refaire un jour surface dans sa vie.

Alberto mit le contact. Le moteur toussa plusieurs fois avant de démarrer. Il tourna le bouton de la radio et chercha une station qui ne diffusait que de la musique country. Le son d'une guitare acoustique emplit l'habitacle.

— Je t'emmène où ? s'enquit Alberto.

Elle fit la grimace. Et voilà : elle était piégée. Elle allait devoir parler, et fort en plus, pour surmonter le bruit du moteur et le mélo du crooner.

— Baisse ta radio, hurla Dorothy. Comment veux-tu qu'elle t'entende ?

Brave Dorothy ! Elle n'était pas méchante, elle non plus.

Se tournant vers Colombe, elle renouvela la question d'Alberto.

— Où t'emmène-t-on ?

Avec une économie de mots, Colombe indiqua la route à Alberto qui lâcha les freins. Le pick-up se mit à glisser en cahotant.

— Et alors ? Qu'est-ce que tu as fait de ton copain ? Tu l'as renvoyé chez sa mère ?

Prise au dépourvu, Colombe sursauta.

Que pouvait-elle lui répondre quand elle-même n'avait rien compris au départ précipité de Johnny ?

Quoi qu'il en soit, elle ne se sentait pas d'humeur à s'étendre sur le sujet.

Sentant la gêne de sa collègue, Dorothy donna un coup de coude à Alberto.

— Qu'est-ce que ça peut te faire ? Mêle-toi de tes affaires.

Se tournant alors vers Colombe :

— Tu sais où il est parti ?

Elle semblait bien au courant ! C'était donc qu'ils en avaient discuté tous les deux !

— Non. Il s'absentait pour affaires, répondit-elle, ne sachant quelles « affaires » ce mot recouvrait.

— Il va s'occuper de ta voiture, alors ? reprit la grosse voix bourrue.

Alberto était en colère, cela s'entendait à sa voix. Cela lui arrivait généralement quand un client se plaignait de la nourriture. Un jour, même, Colombe l'avait vu sortir de sa cuisine et aller lui-même servir le client après que celui-ci lui avait fait recuire sa viande deux fois. Colombe n'avait pas entendu ce qu'Alberto lui avait dit mais le client avait mangé son bifteck et était parti sans s'attarder. On ne l'avait jamais revu chez Davey's.

Cette fois, Dorothy soupira très fort.

— T'es une vraie commère, Alberto chéri. T'es pire que ma tante Clarisse, et c'est pas peu dire.

Colombe attendit que Dorothy lui répète la question mais Dorothy ne broncha pas. Au lieu de cela, elle se mit à battre la mesure en chantonnant, faisant tourner sa chaussure au bout de son pied.

A l'inverse d'Alberto, qui ne péchait pas par excès de finesse, Dorothy était fine mouche. Elle connaissait des bribes de la vie de Colombe — la voiture en fourrière, l'année universitaire gâchée — et elle savait les limites à ne pas dépasser. Au restaurant — de toute manière, elles ne se fréquentaient pas à l'extérieur —, elle avait remarqué que Colombe pouvait bégayer si on la pressait de questions. Surtout de questions personnelles. Aussi essayait-elle de freiner la curiosité de son ami. Mais Alberto ne comprenait rien à ces subtilités.

— Alors, qu'est-ce qu'il attend pour s'occuper de ton auto ? Tu lui as dit, au moins ?

— Al chéri, supplia Dorothy. Laisse-la tranquille avec tes questions.

Alberto bougonna et continua de conduire en silence.

Quelques feux rouges, deux descentes et une montée plus loin, Alberto actionna son clignotant et, dans un bruit de ferraille, se rangea au pied de l'immeuble où habitait Colombe.

Une fois le pick-up arrêté, Colombe remercia ses deux compagnons, ouvrit la portière et descendit du truck.

Un réverbère, non loin de là, diffusait un rai de lumière palot qui éclairait la rue.

Blottis l'un contre l'autre dans la voiture comme deux oiseaux de nuit sur une branche, Alberto et Dorothy semblaient ennuyés de la laisser partir.

— Ne vous inquiétez pas pour moi, je vais… bien, les rassura Colombe.

Le truck redémarra et elle tourna les talons.

Si les choses continuaient ainsi, ils finiraient tous trois par devenir les meilleurs amis du monde.

Amusée à cette pensée, Colombe se mit à courir.

Cinq minutes plus tard, ses vêtements de travail remisés dans le panier de linge sale, elle enfila un T-shirt qui sentait bon le frais et alla dans la cuisine chercher les graines de Mick.

Comme elle revenait vers la cage, elle aperçut son ordinateur portable, ouvert, qui rayonnait dans la nuit. Une icône en haut à droite lui indiquait qu'elle avait du courrier. Sans doute Suzanne lui avait-elle écrit ?

Colombe versa du raisin vert et une poignée de céréales dans le petit bac de la cage de Mick et retourna à son bureau. L'e-mail était peut-être destiné à la vraie Suzanne. Elle allait s'en assurer et, si c'était le cas, l'ignorer.

Le message provenait de Jpd@opticpower.com. Peut-être le président-directeur général avait-il changé d'idée et n'aimait-il plus le discours qu'elle avait écrit pour lui ? Peut-être de « parfait » le trouvait-il désormais « lamentable » ? Ou peut-être avait-il décidé qu'en plus du mot « robuste », il n'aimait pas non plus les mots « synergie » et « croissance globale » ? Quel autre mot pouvait-on employer pour « synergie » ?

Inquiète du contenu du message qu'elle allait lire, Colombe se voila les yeux des deux mains. Si ma mère me voyait, pensa-t-elle, elle me dirait de cesser ce cinéma imbécile.

Elle baissa donc les bras et lut :

« Après l'allocution de demain, je dois rencontrer des étudiants de l'université régionale. J'ai besoin d'idées directrices pour cette conférence, sachant que le groupe auquel je dois m'adresser est en majorité composé de futurs ingénieurs informaticiens. Je souhaite ne pas me cantonner à l'aspect technique de leurs compétences.

Pouvez-vous m'aider ? »

Toujours pas de signature.

110

Décidément, cet homme devait être bien occupé.

Colombe nota aussi l'heure d'envoi du massage : 23 heures. Bien tard pour une telle demande. Elle tenait là une excuse toute trouvée pour refuser.

Mais en même temps, la demande l'intéressait à plus d'un chef. Il voulait s'adresser à des étudiants ? Il ne se doutait pas qu'il parlait à une étudiante… Enfin… à une ancienne étudiante, puisqu'elle avait jeté l'éponge. D'autre part, tout travail méritant salaire, elle allait gagner une jolie poignée de dollars et pouvoir sortir, enfin, sa voiture de la fourrière. Ce n'était pas le moment de faire la fine bouche.

Elle répondit :

« D'accord. Je vous adresse des pistes dans quelques minutes. »

Comme lui, elle ne signa pas. D'ailleurs, cela lui faisait bizarre de signer Suzanne à la fin.

Elle se cala contre le dossier de son fauteuil et réfléchit à ce qu'elle aurait aimé entendre dans la bouche d'un président-directeur général venu leur faire une conférence à la fac.

Voyons, que pouvait bien dire le P.D.G. d'une entreprise de télécommunications qui la mette en transes, elle personnellement ?

Elle griffonna quelque notes sur un bloc. Les groupes de rock font usage des nouveaux sons digitaux. Jpd pourrait parler de l'implication de sa société dans le système digital et de l'emploi que font les étudiants des téléphones sans fil. Jpd pourrait révéler les projets d'Opticpower dans le domaine de la télécommunication sans fil. Elle nota le nom du musicien Dave Matthews et souligna l'emploi qu'il faisait des nouvelles technologies pour servir sa musique. Elle hésita à mentionner Mick Jagger, son rocker chéri, car c'était déjà un has-been. Aussi décida-t-elle de se cantonner à Dave Matthews, plus moderne, bien qu'elle fût d'avance convaincue que Jpd ne saurait pas de qui il s'agissait.

Là-dessus, elle rédigea son e-mail et l'envoya.

Un instant plus tard, la petite musique retentit.

« Vous avez du courrier. »

Déjà ? Cet homme ne faisait donc rien d'autre que travailler ?

Elle lut :

« Excellent.
» Merci.

» PS : Qui est Dave Matthews ?... »

Ce Jpd était sans mystère. Mais avant de lui répondre, elle savoura le compliment. *Excellent.* Il ne savait sûrement pas à qui il adressait ces félicitations ! A une petite étudiante en pyjama assise sur un vieux canapé usé.

Toute seule dans son studio, elle se mit à applaudir des deux mains. C'était cool ! Elle était au moins aussi heureuse que le jour où elle avait gagné le concours au lycée.

Emballée, elle lui renvoya un e-mail dans lequel elle lui donna force détails sur le groupe de rock de Dave Matthews. A sa surprise, le P.-D.G. lui répliqua qu'il n'était pas féru de rock mais que, en revanche, il adorait Mozart et Beethoven. Elle songea alors qu'il valait mieux qu'elle ne réponde pas. Après tout, c'était un homme important et occupé qui avait mieux à faire que perdre son temps sur le net à parler rock et Mozart. Mais comme c'était bon de pouvoir converser sans problème d'élocution ! C'était une chose qu'elle n'avait jamais encore partagée avec personne, pas même avec Johnny.

Johnny.

Il avait dit qu'il téléphonerait, qu'il laisserait sonner deux coups, raccrocherait et rappellerait aussitôt. Mais

112

comme elle était sur le net, il pouvait toujours essayer de téléphoner… la ligne devait sonner constamment occupé. Décidément, elle était la reine des idiotes et Johnny devait être déçu de n'avoir pu la joindre… Enfin, peut-être ? Elle n'avait plus qu'à éteindre l'ordinateur et attendre dans le noir un hypothétique coup de fil.

Comme toutes ses pensées se bousculaient dans sa tête, la petite voix flûtée annonça un nouvel e-mail.

« Si vous écrivez des discours, vous devez aussi écrire d'autres choses. Quoi ? » lut-elle.

Elle répondit et attendit un instant avant d'envoyer. Elle aussi avait une question à poser.

« J'écris des nouvelles.

« Et vous ? Quels sont vos auteurs préférés ? »

Elle cliqua sur le cartouche « Envoyer ». Cet échange commençait à ressembler à une vraie conversation.

L'échange se poursuivit. Il lui dit qu'il lisait des romans mais que la lecture était un luxe qu'il ne pouvait se permettre pour l'instant. Quand elle demanda des précisions, il écrivit :

« J'aime les ouvrages de science-fiction. Mais compte tenu du nombre de dossiers que je dois traiter au bureau, j'avoue que, de retour à la maison, je m'évade plutôt dans la musique. Beethoven quand je suis sombre, Mozart quand la journée s'est bien passée. »

Mais Colombe, en amoureuse de la littérature, voulut en savoir plus sur ses goûts en lecture.

« Pourquoi ce genre ? »

Il répondit :

« Parce qu'il me permet de m'évader de la réalité quand je rentre chez moi. Et vous ? »

Elle comprit qu'il n'avait guère envie de s'étendre sur ses goûts, aussi cessa-t-elle de lui poser des questions. Elle répondit alors qu'elle s'intéressait à tous les genres littéraires avec une prédilection pour la poésie.

Sortant soudain de son monde de rêverie, Colombe prit conscience que, sans s'en rendre compte, c'était plus qu'un dialogue qu'elle venait d'instaurer avec Jpd : elle était en train d'ouvrir son cœur à un inconnu.

Il était 1 heure du matin, donc tard — ce qu'elle fit poliment remarquer à son internaute d'interlocuteur tout en regrettant, secrètement, de devoir interrompre leur dialogue.

C'était fabuleux d'avoir pu parler aussi librement. Cette conversation avec le P.-D.G. sans visage était un moment rare qui venait de bousculer la morosité de son petit univers. Elle allait adresser un e-mail à Suzanne pour lui faire part de cette aventure de ce soir, de sorte qu'elle ne soit pas prise au dépourvu si Jpd lui en parlait plus tard. De plus, grâce à son code, Suzanne pouvait accéder aux échanges de Colombe avec Jpd, et si ce bavardage avec le P.-D.G. d'Opticpower contrariait Suzanne, mieux valait que Colombe s'arrête là tout de suite. Après tout, c'était quand même le client de son professeur ! Mais il était peu probable que cela posât un problème. Les hommes d'affaires avaient bien le droit de discuter de façon informelle de tous les sujets avec leurs prestataires de service. Y avait-il plus convivial pour créer des liens avec des fournisseurs ? se dit Colombe.

Après avoir arrêté son ordinateur et déroulé son sac de couchage, elle repensa à Emily Dickinson, sa poétesse préférée, dont la vie avait été ponctuée de rencontres qui avaient complètement bouleversé son existence.

Levant les yeux vers le ciel bleu nuit du Colorado, elle se mit à réfléchir au couple qu'ils formaient, Johnny et elle.

114

Si seulement ils avaient pu échanger de telles conversations !

Mais avec son handicap, c'était impossible. La dernière fois qu'ils avaient vraiment communiqué, elle s'en souvenait très bien, c'était à l'école, quand elle s'était penchée et lui avait murmuré « merci » du haut du podium où elle recevait son prix. Ce n'était que deux petites syllabes, mais elle les avait chargées de plein de choses, et Johnny l'avait compris. En tout cas, elle avait eu l'impression qu'il avait compris.

A trois mille kilomètres de là, à Newport, dans l'Etat de Rhode Island, Johnny, accoudé à la rambarde de la terrasse de sa chambre d'hôtel, rêvait en contemplant la mer. Il était tard, 3 heures du matin, et il se sentait frais comme un gardon.

Voyant deux étoiles qui brillaient plus fort que les autres au firmament, il se mit à songer aux chances qu'il y avait pour que deux personnes étrangères l'une à l'autre, et perdues au milieu de milliards d'êtres humains, puissent converser aussi spontanément qu'il venait de le faire avec une inconnue.

Malgré tout, il se sentait un peu gêné d'avoir abusé de cette correspondance impromptue avec Suzanne. Non pas qu'ils aient flirté, se justifia-t-il. Ils n'avaient fait qu'échanger des idées à bâtons rompus. Rien de condamnable, même si, il fallait bien l'avouer, la conversation avait pris un tour assez personnel. Les mots de Suzanne étaient chargés d'une telle intensité que, pour un peu, leur ardeur aurait embrasé son écran d'ordinateur !… A dire vrai, il ne s'attendait à rien de tel de la part d'une rédactrice appointée pour lui écrire un discours.

Sans doute était-il un peu coupable d'avoir encouragé cet échange d'e-mails, se dit-il, mais cela lui avait plu. C'était bien la première fois depuis longtemps qu'il pouvait soutenir une conversation un peu intime avec quelqu'un, qui ne soit pas seulement axée sur les affaires.

Son équipe de dirigeants et son personnel semblaient plus attachés à lui dire ce qu'ils croyaient qu'il voulait entendre, ou pire, à le flatter, qu'à lui exprimer le fond de leurs pensées.

Quant aux femmes qui papillonnaient dans sa vie, il n'avait que trop longtemps écouté leur verbiage inutile ; désormais il ne supporterait plus de les entendre parler shopping et chirurgie esthétique.

Suzanne, elle, était différente. Sa culture semblait éclectique sans être pédante. Avec la même aisance, elle parlait musique, livres, et même d'un certain Dave Matthews. Il faudrait qu'il écoute un jour ce groupe de rock qu'elle évoquait avec tant d'émotion ou, en tous cas, d'intérêt.

Un point très lumineux se mit à scintiller très haut dans le ciel.

Satellite ou avion ? s'interrogea-t-il avant de replonger dans ses songes.

En veine de confidences, il avait même raconté à Suzanne comment, pour fuir sa solitude quand il rentrait chez lui le soir, il se réfugiait dans la lecture de romans bourrés de héros fantastiques.

Déjà, petit, il le faisait. Il se revoyait encore, petit bonhomme, recroquevillé dans un coin de leur maison de Buena Vista, une couverture sur la tête, en train de lire à la lumière d'une torche électrique. Il s'était ainsi créé un monde imaginaire qui l'aidait à supporter la réalité. L'été, quand il ne travaillait pas, il s'installait au bord du ruisseau et, adossé à un cotonnier qui plongeait ses branches dans

116

l'eau vive, il lisait dans un silence que seuls troublaient les remous de l'onde et le piaillement des oiseaux.

Il n'avait rien écrit à Suzanne sur le recoin où il dormait ni sur le ruisseau, mais il lui avait dit comment ses héros, qui peuplaient ses livres et son imagination, lui rendaient la vie plus supportable.

Il se souvenait entre autres d'Agamemnon, qu'il admirait par-dessus tout. Si ce type, se disait-il à l'époque, avait été capable d'affronter la folie de la maison de Pelops, il devait, lui aussi, pouvoir tenir tête à un frère délinquant et à un père ivrogne.

Il n'avait jamais discuté de ces sujets avec Colombe. Ensemble, ils n'avaient fait que partager des émotions physiques et, pour la première fois, il se mit à regretter de ne pouvoir échanger verbalement avec elle.

Il avait tenté de l'appeler, hier soir, mais son numéro sonnait tout le temps occupé. Cela lui avait paru suspect puisqu'elle lui avait laissé entendre qu'elle ne décrochait jamais. Sans doute était-ce quelqu'un de sa famille qui téléphonait ? Ou une relation très, très proche ?

Peut-être, un jour, oserait-elle parler aussi avec lui ? Peut-être ?

Il rentra dans sa suite luxueuse avec l'espoir de ne pas s'endormir, lumière allumée, avant d'avoir fini de relire ses notes.

Le jour suivant, sa conférence fut un succès. Entre deux meetings, il téléphona à Colombe selon le code convenu et elle décrocha chaque fois. Mais elle se contenta d'écouter, ce qui ne le surprit pas. Ne lui avait-il pas dit qu'il suffirait qu'elle écoute ?

La nuit suivante, assis dans son lit d'hôtel, la solitude se mit à lui peser tellement qu'il se dit qu'il fallait à tout prix qu'il trouve quelqu'un à qui parler. Sa conversation avec Suzanne avait réveillé des souvenirs douloureux remontant à son enfance. Et suscité des regrets.

A l'époque il n'avait pas su protéger sa famille, et cet échec, qu'il considérait comme *son* échec, il se le reprocherait toute sa vie.

La scène avait eu lieu la veille de son départ pour l'université. Son père, sous l'emprise de l'alcool, lui avait reproché de ne pas être fichu de surveiller son petit frère. Johnny était habitué aux accès de colère de son père quand il était ivre mais, cette nuit-là, il avait passé les bornes et l'avait roué de coups. A terre, côtes fêlées, bouche en sang, Johnny avait réalisé qu'il ne serait jamais en mesure de tenir sa famille à bout de bras. Qu'ils couraient tous à la catastrophe. Cette nuit-là, devant son impuissance, il avait quitté Buena Vista pour ne plus jamais y revenir...

... Sauf pour se rendre sur la tombe de son père.

Que de monologues il avait eus devant cette tombe au cours des années passées...

Incapable de rester seul avec ses fantômes, il ouvrit son portable. Ce n'était pas trahir Colombe, c'était seulement qu'il avait besoin de parler à quelqu'un. Mais sans remuer son passé. Il voulait une simple conversation, honnête et vraie, avec un étranger. Avec Suzanne, ce serait idéal puisqu'elle ne le connaissait pas.

Il cliqua sur « Connexion », « Carnet d'adresses » et « Suzanne ».

9.

Colombe chantonnait un morceau de Dave Matthews en pensant à Jpd.

Jpd ? Elle n'avait même pas songé à lui demander ce qui se cachait derrière ces initiales. Il est vrai que les e-mails s'étaient succédé à une telle vitesse qu'elle n'en avait guère eu le temps. Il l'avait vraiment surprise, la nuit dernière, quand il lui avait écrit — enfin, c'était à Suzanne qu'il croyait s'adresser — qu'il avait besoin de parler.

Elle avait joué le jeu et ils avaient bavardé. Elle avait été intéressée — et impressionnée — par ses commentaires sur Agamemnon et la famille de Pelops, et étonnée par le parallèle qu'il avait établi entre ce personnage et lui, du fait de la décision qu'il avait dû prendre un jour de ne jamais revenir chez lui.

Elle lui avait demandé ce que cela signifiait. Il lui avait répondu que, dans son enfance, la vie ne lui avait pas fait de cadeau, et qu'il avait été incapable de venir en aide aux siens. Il avait alors ajouté qu'il avait toujours un masque africain sur son bureau, qui symbolisait la protection et la guérison… Et que cela lui rappelait constamment son échec mais aussi l'objectif qu'il poursuivait dans la vie. Aider les autres et, pour cela, les aimer.

Elle avait senti qu'il ne tenait pas à trop s'étendre sur ce sujet et lui avait écrit qu'elle-même avait eu une enfance plutôt heureuse mais que grandir, de toutes façons, n'était pas simple. Mais elle était restée vague, car elle n'avait pas eu envie d'avouer qu'elle bégayait et que c'était cette infirmité qui lui rendait la vie impossible. Pourquoi l'aurait-elle dit quand leur conversation avait été si épatante et que rien ne justifiait un tel aveu, puisque tout se disait par écrit ?

Avec Jpd, ils étaient sur la même longueur d'onde. Intellectuellement, s'entend. Il n'y avait rien de trouble ni d'ambigu dans leur relation. D'ailleurs, pour elle, il n'y avait que Johnny dans son cœur.

Elle jeta un coup d'œil au réveil. 3 heures vingt. Il était temps qu'elle se prépare si elle voulait être à l'heure chez Davey's.

Toc, toc.

Etonnée que l'on frappe à sa porte puisqu'elle n'attendait pas de visite, elle alla à l'œilleton et se pencha pour regarder.

De l'autre côté de la porte, de beaux yeux bleus la fixaient.

Johnny.

Son estomac se serra. Ce n'était pas qu'elle n'avait pas envie de le voir. Oh, non ! Mais elle éprouvait une certaine réserve à son égard : les vêtements qu'il portait la dernière fois qu'elle l'avait vu, cette limousine avec chauffeur qui l'attendait en bas de chez elle, sa montre… Tous ces signes extérieurs de richesse ne lui plaisaient pas.

Malgré ce luxe ostentatoire, et décidément bien mystérieux, pensa-t-elle, il restait Johnny, son merveilleux Johnny Dayton, le garçon assis au premier rang le jour de la remise des prix et qui l'avait encouragée. Le garçon sur lequel elle avait fantasmé pendant des années.

120

Oui, si aujourd'hui sa vie comportait d'indéniables zones d'ombre, il demeurait celui qui lui avait donné, par le passé, des preuves de son amitié et de sa générosité.

Elle se redressa et posa la main sur la poignée de la porte.

La vie actuelle de Johnny cachait des énigmes — il n'aurait pas l'aplomb de le contester — mais elle allait lui donner une chance de s'expliquer.

Elle ouvrit et recula d'un pas, saisie.

— Oh ! s'exclama-t-elle portant sa main à sa bouche, en le voyant entrer.

C'était le Johnny d'autrefois qui se tenait là, devant elle, dans son vieux jean délavé, sa veste de cuir élimée et son T-shirt blanc. Comme à l'époque, il avait négligé de se coiffer et ce débraillé étudié lui allait bien. Il semblait fatigué et ses beaux yeux bleus lui mangeaient le visage.

L'espace d'un instant, elle crut le revoir ce fameux jour où il l'avait retrouvée en train d'errer comme une malheureuse dans le parc de Buena Vista. Elle était toute jeune, lui adolescent. De cette minute, il était resté, pour elle, le héros qui l'avait sauvée. *Son* Johnny.

Immobile dans l'encadrement de la porte, Johnny lui sourit avec une telle tendresse qu'elle se sentit fondre. On aurait dit qu'il était vraiment très heureux — presque soulagé, même — de la retrouver.

— Comment vas-tu ? lui dit-il, la voix grave.

— Très bien.

Elle avait envie de parler mais, cette fois, c'était le souffle qui lui manquait.

Il la dévisagea avec une intensité soutenue et ne dit rien. Elle vit alors son regard s'égarer sur sa poitrine.

— C'est vrai, tu es superbe.

Curieuse de savoir ce qu'il avait vu, elle baissa la tête pour s'inspecter. Les pointes de ses seins piquaient le jersey de son grand T-shirt rose. « Inutile de parler, pensa-t-elle alors, mon corps le fait pour moi. »

Puis, soudain, refusant de se compliquer l'existence, elle refoula ses interrogations et ses doutes. Peu importait ce qui se tramait dans la vie de Johnny, sa grosse montre en or, sa limousine avec chauffeur, son costume trop bien coupé, ses voyages d'affaires... Il serait toujours son Johnny. Le reste, pour l'heure, elle s'en moquait.

Leurs regards se croisèrent et restèrent soudés l'un à l'autre. Une demi-seconde, elle formula mentalement la liste de ce qu'elle lui aurait dit si elle avait pu s'exprimer facilement : qu'elle avait vu sa limousine. Qu'elle n'était peut-être pas dans le coup mais assez quand même pour en deviner le prix et pour distinguer un costume de grand faiseur d'un costume acheté au décrochez-moi-ça. Quant à la montre qu'il portait au poignet, elle avait vu la même dans la vitrine du plus grand bijoutier de Denver. Elle n'était peut-être pas douée pour la parole... lui, en revanche, semblait doué pour le mensonge. Elle lui aurait asséné ses quatre vérités et aurait exigé des explications.

Soudain, adieu griefs, adieu reproches ! Tout s'effaça comme par enchantement. Elle fit un pas vers lui. La tempête faisait rage en elle. Ses oreilles se mirent à bourdonner. Elle approcha le visage de son cou. Il sentait bon le musc, et l'homme fraîchement douché.

Douche. Le mot la fit réagir.

— Je...

Elle jeta un regard au réveil posé sur l'étagère.

— 3 heures et demie ! lança-t-elle.

— Tu dois te préparer pour aller travailler ?

Elle hocha la tête affirmativement.

— Je ne vais pas te retarder, alors.

— Entre et installe-toi, lui proposa-t-elle finalement.

Quelques minutes plus tard, elle passait sous la douche, déçue qu'il ne l'en ait pas empêchée pour la serrer plutôt dans ses bras. L'eau se mit à couler sur son corps nu et elle ferma les yeux.

Abandonné à son sort, Johnny se mit à arpenter le studio. Passant près du pouf orange, il shoota dedans. Il se sentait nerveux, fiévreux, surtout après l'avoir surprise dans ce T-shirt rose qu'il trouvait très aguicheur. Ses seins pointaient sous l'étoffe, il l'avait bien remarqué. Elle ne pourrait pas nier qu'elle avait envie de lui : elle avait beau ne pas parler, elle s'était trahie !

Mais comment deviner si elle avait autant envie de lui qu'il avait envie d'elle ? Cela semblait difficile…

Il s'arrêta et regarda par la fenêtre, la tête envahie des souvenirs de l'autre nuit. Comme il avait aimé la toucher, l'embrasser, inventer avec elle un jeu amoureux… qu'elle avait paru adorer, d'ailleurs.

A Buena Vista, autrefois, quand elle était petite et qu'ils jouaient ensemble, il s'amusait de sa nature coquine. Aujourd'hui, la femme qu'elle était devenue dissimulait mal sa sensualité, et l'érotisme qui semblait s'être tout naturellement greffé sur son goût pour les jeux malicieux. Peut-être ne se rendait-elle pas compte ? Peut-être était-elle complètement inconsciente des pulsions qu'elle suscitait ?

Bon sang ! Rien que d'y penser, il se sentait en nage !

Mick lança un cui-cui qui le fit sursauter.

— Ta maîtresse est une drôle d'amoureuse, tu sais !

Comme pour confirmer, Mick battit des ailes et s'égosilla de plus belle. Ses cris, le chuintement de l'eau dans la salle de bains, la fatigue, l'énervement, la frustration… Exaspéré par le vacarme qui lui semblait envahir subitement tout l'espace, Johnny leva les mains pour se boucher les oreilles quand, dans cet étrange tumulte, s'éleva la voix de Colombe. Elle chantait. Une mélodie douce qu'il ne connaissait pas. Cette voix, cet air, qui auraient dû l'apaiser, lui firent l'effet d'une drogue. Il tenta de se raisonner. De se raisonner. De se raisonner… Mais la mélopée était lancinante comme l'appel d'une sirène…

Pourtant, il fallait résister…

Il eût fallu qu'il soit de glace… Ou qu'on le ligote à une potence…

Poussé par une force qu'il ne contrôlait plus, il prit la direction de la salle de bains et, tout en marchant, ôta sa veste.

Colombe se frottait avec un savon parfumé à l'églantine. C'était là le seul luxe qu'elle s'autorisait. Elle n'avait pas de téléviseur, pas de lave-vaisselle, ne s'était pas acheté de robe depuis des lustres, mais dès qu'elle avait économisé quelques dollars, elle s'offrait ce merveilleux savon français. Elle adorait sa texture crémeuse et sa mousse généreuse. Elle adorait sa caresse sur sa peau.

Elle faisait mousser le savon entre ses doigts quand elle crut sentir une main sur sa cuisse. Elle se retourna. C'était Johnny. Il avait ouvert le rideau de la douche et la massait effectivement. Il était en jean, comme l'autre nuit.

Ahurie de son audace, mais excitée par cette main qui s'attardait sur elle, elle fit semblant de reculer.

Il retira alors sa main et, sans un mot, défit le bouton de son jean. Puis il s'arrêta pour observer la réaction de Colombe.

124

— Encore, murmura-t-elle, les yeux rivés sur les mains de Johnny qui s'attaquaient maintenant à la fermeture à glissière de son pantalon. Encore.

Comme elle avait envie de le voir nu, lui aussi !. De le prendre entre ses mains et de lui faire du bien…

Mais, comme s'il s'était ravisé, il s'arrêta.

Pourquoi la laissait-il languir ainsi ?

Soudain, encouragé par le regard sans équivoque de Colombe, il finit d'ouvrir son pantalon et l'ôta. Loin de détourner le regard, elle ne le quitta pas des yeux.

Beau comme un Adonis, il apparut alors dans un boxer short noir à taille basse qui lui moulait les hanches.

De plus en plus excitée, elle le regarda faire. Jusqu'où voulait-il aller ?

Très calmement, elle le regarda sortir un petit sachet de l'une de ses poches. Un préservatif, comprit-elle.

Il jeta alors son jean à terre.

Savoir qu'il avait tout programmé excita Colombe de plus belle.

Il déposa le petit paquet sur le bord de la douche, à l'abri de l'eau, et glissa un doigt sous l'élastique de son slip.

Elle attendit.

Il fit glisser doucement son slip sur sa peau, découvrant une touffe de poils noirs et soyeux qui dessinaient un triangle sur le bas de son ventre.

Elle attendit.

Il en fit autant.

Elle respirait de plus en plus mal mais réussit à répéter :

— Encore.

Il eut une mimique étrange et continua de faire glisser son boxer-short sur ses cuisses, jusqu'à ses chevilles. Soulevant alors les jambes, il dégagea ses pieds. Il était maintenant nu devant elle, splendide de désir, et il la regardait l'observer.

Elle frissonna.

Il posa son slip sur son jean et enjamba la douche. Tirant alors le rideau derrière lui, il dit :

— Tourne-toi.

Elle s'exécuta.

Alors que l'eau chaude coulait sur sa poitrine, elle sentit qu'il lui prenait le savon des mains. Il le passa sur ses épaules, les bras, le dos. Il le faisait avec délicatesse, comme s'il avait caressé un objet précieux. Quand il atteignit le bombé des fesses de Colombe, il y dessina des mouvements circulaires, sur l'une, puis sur l'autre. Et, enfin, plongea entre ses cuisses.

Colombe poussa un petit cri de surprise. Un coup de chaud lui brûla les joues. Elle gémit et appuya les mains sur le carrelage, devant elle, offrant au jet d'eau ses seins frissonnants de désir. Elle écarta légèrement les jambes, se délectant du contact de la main de Johnny, toute lisse de savon.

Ses joues étaient en feu, elle le sentait.

Il retira ses mains et les glissa sur ses hanches puis, d'un geste, la fit pivoter sur elle-même.

Le cœur battant, elle se retrouva serrée contre lui, ruisselante et toute mousseuse de savon. Elle plaqua son visage sur sa poitrine et enfouit les lèvres dans la toison épaisse qui ombrait sa poitrine. Il sentait l'homme. L'homme, le sel, l'eau et la sueur. Elle laissa alors ses mains errer où bon leur semblait.

Quand elle releva la tête, il l'attira encore plus fort à lui. L'intimité de ce contact la fit gémir de nouveau. Leurs corps s'imbriquaient l'un dans l'autre comme s'ils avaient été faits pour s'unir.

126

Une pluie tiède les inondait, tissant autour et au-dessus d'eux comme un brouillard humide. Tous les deux étaient maintenant ailleurs. Dans un autre monde, un monde de rêve où les mots étaient superflus, où les corps suffisaient à exprimer leurs désirs.

Leurs regards se soudèrent. Peut-être, plus tôt, Colombe avait-elle nourri des doutes sur Johnny, sur son mode de vie, mais à cet instant le doute était levé : l'homme qu'elle tenait dans ses bras était le vrai Johnny, le Johnny de toujours, l'homme qui avait peuplé ses rêves, le seul qu'elle ait désiré… Le seul qu'elle pourrait jamais aimer.

Elle le serra plus fort, comme si elle avait peur de le perdre, comme pour le garder à elle pour toujours. Mieux que personne, elle savait que le présent n'est pas garant de l'avenir, que tout peut changer en un clin d'œil. Que rien n'est jamais acquis.

Tout pouvait lui être ravi, maintenant : ce moment merveilleux resterait à jamais gravé dans sa mémoire et elle le chérirait.

Johnny plaqua les mains sur les hanches de Colombe et la serra contre lui. Le sentant dur et chaud contre elle, elle ne put retenir une plainte de plaisir. Encouragé par ce gémissement, il se frotta contre elle sans pudeur. Jamais aucune femme ne lui avait inspiré pareil désir. Pareille folie.

Eperdu, il chercha ses lèvres, les dévora, les sentit vivre sous les siennes.

— Johnny, murmura-t-elle. Oh, mon Johnny ! Comme c'est bon…

Dans son émoi, Colombe s'entendit. Elle avait parlé sans heurt. Sans effort, sans trébucher sur les mots. C'était un signe.

Sentant les mains de Johnny sur ses seins, à son tour elle prit le sexe de son amant, dur et chaud, et le caressa. Ils n'étaient plus que caresses l'un pour l'autre, que tendresse. Soudain, ondulant sous l'exquise torture, elle supplia :

— Maintenant.

Johnny saisit le sachet qu'il avait déposé sur le rebord de la douche, en déchira l'enveloppe de Cellophane et enfila le fourreau de caoutchouc qu'il contenait.

Debout devant lui, pantelante, impatiente, elle lui tendait ses seins. Mais il avait décidé de ne rien brusquer.

Vaine résolution.

La chaleur, le corps voluptueux lisse d'eau et de savon de Colombe, tout se combinait pour mettre à mal ses résolutions.

A fleur de peau, n'y tenant plus, il la souleva et, d'un trait, la posséda, lui arrachant un cri qu'il étouffa en prenant sa bouche. Dans un mouvement répété, il se mit à aller et venir en elle, lentement d'abord, puis de plus en plus vite. Quand il la sentit accordée à son rythme, il s'enfouit plus profond dans sa tiédeur humide... de plus en plus profond.

Eperdue, haletante, Colombe gémissait de bonheur.

— Johnny, Johnny, Johnny, répétait-elle inlassablement. Johnny, Johnny...

Ils chevauchèrent ensemble, étourdis de palaisir. Et bientôt, le désir contenu depuis trop longtemps explosa en jouissance pour chacun d'eux.

Epuisé, hors d'haleine, la tête nichée entre les seins de Colombe, Johnny sentit peu à peu sa tension retomber ; mais les appels de sa compagne, ses doux cris continuaient de bruisser à ses oreilles.

— Johnny, Oh ! mon Johnny...

Débordant d'émotion, il essuya une larme furtive et ravala celles qui se pressaient à la lisière de ses paupières, heureux qu'elles se confondent avec l'eau du jet. Les bras refermés sur Colombe, il la serra contre lui et ferma les yeux comme s'il avait eu peur que lui échappe un rêve. Dans son for intérieur, il la remercia alors de l'avoir rendu à lui-même.

— Ça va, dit Colombe à Dorothy et Alberto, qui la regardaient de ce même air préoccupé qu'auraient eu des parents inquiets pour leur progéniture.

Détendue, elle claqua la portière du pick-up, espérant qu'à l'avenir ces deux tourtereaux veuillent bien ne se mêler que de leurs affaires.

Comme elle avalait les marches qui montaient à son appartement, elle regretta de ne pas leur avoir dit que tout allait pour le mieux pour elle en dépit des apparences. D'accord, Johnny n'était pas là pour la raccompagner chez elle ce soir, mais il lui avait bien dit, après lui avoir fait l'amour cet après-midi, qu'il avait du travail en retard à cause de son déplacement. De plus, il fallait aussi qu'il s'occupe de son propre courrier, de répondre aux messages téléphoniques qui devaient l'attendre sur sa boîte vocale, toutes tâches qui avaient dû s'accumuler en son absence.

Il l'avait accompagnée à son travail et ils avaient un peu traîné devant le restaurant avant de se quitter. Il lui avait même proposé de l'argent pour prendre un taxi pour rentrer ce soir. Juste à ce moment arrivait Dorothy, qui lui avait demandé si elle aurait besoin qu'on la ramène chez elle cette nuit. A cet instant, Johnny avait compris qu'elle n'aurait pas de problème pour son retour. Cela l'avait tranquillisé.

Après un baiser un peu plus appuyé que ce que les convenances autorisent, ce qui n'avait pas échappé à Alberto et Dorothy, Johnny lui avait dit qu'il lui téléphonerait plus tard.

Colombe poussa sa porte et soupira.

Quel moment merveilleux ils avaient passé sous la douche, cet après-midi !... Cela avait tenu du prodige. Non, n'en déplaise à sa mère, pour une fois elle n'exagérait pas. Ensuite, quand Johnny l'avait accompagnée chez Davey's, elle n'avait pas voulu rompre le charme en lui posant la question qui lui tenait tant à cœur. Elle la lui poserait plus tard, quand ils seraient plus calmes l'un et l'autre. D'ici là, il faudrait qu'elle réfléchisse à la meilleure façon d'entrer en matière, car elle ne voulait pas l'offenser.

— Bonjour, Mick, dit-elle en se dirigeant vers la cuisine. Ton dîner arrive.

Revenant avec une coupelle de tranches de pomme et quelques graines, elle remarqua l'ordinateur sur son bureau. Il fallait qu'elle envoie un e-mail à Suzanne pour lui dire qu'elle en avait terminé avec le discours pour Opticpower et qu'elle pouvait reprendre son appareil.

Elle nourrit son oiseau, revint vers son bureau, alluma le portable. Aussitôt, la voix électronique lui annonça qu'elle avait du courrier. C'était un mot de Suzanne avec un fichier joint, qu'elle lut.

« Colombe,

» Demande urgente : Opticpower veut encore un discours. Le P.-D.G. doit faire une déclaration à la presse à 11 heures demain dans ses bureaux. Voir l'article paru dans le *Denver Post*.

» Une femme de l'Etat du Wyoming affirme que des techniciens d'Opticpower ont accidentellement endommagé sa ligne téléphonique, la mettant dans l'impossibilité de d'appeler Police-Secours pour venir en aide à son fils victime d'un accident. L'enfant a survécu mais sa mère accuse Opticpower d'avoir mis la vie de son fils en danger. Opticpower décline toute responsabilité et son P.-D.G. M. Dayton a décidé de s'exprimer devant la presse. Pouvez-vous préparer le texte de la conférence ? Opticpower vous défraiera, bien évidemment.

» Soyez aimable d'adresser directement votre brouillon à jpd@opticpower.com. Excellents échos de vos deux derniers textes.

» Sincèrement,

Suzanne. »

Colombe lut l'article du *Denver Post*. Une jeune mère habitant un ranch du Wyoming, en effet, avait raconté à des journalistes que son fils de deux ans avait été sérieusement blessé lors d'une chute de tracteur. Elle avait tenté d'appeler les secours mais sa ligne téléphonique ne fonctionnait pas. Elle avait dû le conduire elle-même en voiture à l'hôpital le plus proche, distant de soixante kilomètres. L'enfant, soigné aux urgences, était sorti de réanimation, mais de source hospitalière on affirmait que sans la présence d'esprit de la mère, l'enfant n'aurait pas survécu.

Le cœur de Colombe se mit à cogner. La similitude entre cet accident et celui de sa propre mère était troublant. Dans leur cas, il y avait aussi trois personnes impliquées, elle, sa mère et, en face, dans le truck, le jeune homme qui avait brûlé le stop. Sa mère avait lutté pour rester consciente et, là non plus, personne n'avait de portable. Pour l'avoir vécu elle-même, elle comprenait le sentiment d'impuissance qu'avait dû ressentir cette mère, dépourvue de téléphone. Dans le cas de Colombe, heureusement, un automobiliste qui passait par là s'était arrêté et, à l'aide de son portable, avait appelé les secours. La pauvre femme du Wyoming, elle, n'avait eu d'autre choix que de conduire elle-même son enfant à l'hôpital.

Le plus intéressant dans ces deux faits divers était que Colombe et la jeune mère du Wyoming se battaient toutes les deux pour la vérité. C'est ainsi en tous cas que Colombe voyait la chose. La jeune mère campait sur ses positions : pour elle, la responsabilité d'Opticpower ne faisait aucun doute. En ce cas, la société lui devait des excuses. C'était bien le moins. Un pitoyable « Ce n'est pas notre faute » rappela à Colombe, lors du jugement, le mensonge éhonté du jeune homme qui avait blessé sa mère.

Bouleversée par ce que cet accident ravivait de mauvais souvenirs, Colombe sentit des larmes mouiller ses yeux, et le texte affiché sur l'écran d'ordinateur se brouilla.

Elle ne pouvait pas écrire un discours qui disculperait Opticpower sans connaître la vérité, se dit-elle. Ce serait indigne d'elle. Contraire à son éthique. Il fallait qu'elle obtienne le numéro de téléphone de cette femme du Wyoming et qu'elle la joigne.

Mais parler, et qui plus est à une étrangère, tenait du supplice.

Elle soupira, réfléchit et, finalement, décida qu'elle devait faire l'effort de surmonter son appréhension, même s'il lui semblait surhumain. Le jeu en valait la chandelle. C'était trop important.

Prenant son courage à deux mains, elle décrocha et appela les renseignements.

— Quelle ville ? demanda l'opérateur. Et quel Etat ?

— Laramie dans le Wy... Wy... Wy...

Incapable de prononcer le mot, ulcérée, Colombe raccrocha et, la tête dans les bras, crut qu'elle allait pleurer.

Mais elle n'était pas fille à se laisser abattre.

Relevant la tête, elle chercha dans le ciel du Colorado un réconfort à sa tristesse. Après tout, le ciel du Colorado était le même que celui de Buena Vista et, qui sait, peut-être qu'à cette heure, sa mère, là-bas, était en train de le contempler elle aussi.

A cette idée, Colombe sourit.

« Je vais appeler maman et lui demander de m'aider »,
se dit-elle.

Joignant le geste à la pensée, elle décrocha le com-
biné.

Un verre de cognac à la main, Johnny écoutait la *Symphonie
au Clair de lune,* assis dans la profondeur moelleuse d'un
fauteuil de son salon. C'était de circonstance. Il faisait
nuit dehors et il se sentait nostalgique. Comment croire
qu'il y avait quelques heures encore il faisait l'amour à
Colombe et s'était senti transporté au nirvana ? Après ce
moment d'intense bonheur, il était rentré chez lui où son
domestique l'attendait avec un message urgent du cabinet
d'avocats d'Opticpower.

Johnny avait rappelé ses avocats et passé le reste de la
journée à discuter avec eux des mesures à prendre pour
contrer les accusations de la mère de famille de Laramie.

Johnny avait déjà eu maille à partir avec des citoyens
toujours prompts à attaquer sa société, mais jamais aucune
plainte n'était allée aussi loin.

Selon ses hommes de loi, Opticpower était hors de
cause puisqu'ils pouvaient faire la preuve que le jour où
le câble téléphonique avait été sectionné, aucun de leurs
camions n'avait circulé dans un rayon de trente kilomètres
de Laramie.

— Votre plaignante, avait argumenté l'un de ses conseils,
essaie de tirer profit de l'incident pour obtenir un maximum
de dommages et intérêts. Elle nous prend pour une vache
à lait. Ah ! On les connaît, ces profiteurs-là !

Johnny avait écouté, mais il avait beau se tourner de
tous côtés, le visage en pleurs de la jeune mère le hantait.
Il s'étalait partout : à la une des journaux, à la télévision...

Reprenant les accusations de la femme, tous les articles, tous les reportages dénonçaient la négligence d'Opticpower et clamaient avec elle qu'elle avait un témoin.

— Un jeune drogué, avait rétorqué l'avocat. Le gosse a un casier judiciaire : vols, stupéfiants. Ce témoin n'est pas crédible.

Johnny avait pensé à son jeune frère, Franky. Peut-être que, s'il avait davantage fait confiance à son petit frère, s'il l'avait davantage aidé, soutenu, Franky n'aurait pas fini les menottes aux mains.

Mal à l'aise avec sa conscience, Johnny refoula cette pensée. « A quoi bon ressasser le passé ? On ne réécrit pas l'histoire », se rassura-t-il.

— Il faut que vous donniez une conférence de presse, Jonathan, avait insisté le conseil d'administration. C'est indispensable. Les journaux locaux ne cessent d'appeler. Ils sont aux abois.

Johnny avait accepté et fixé l'heure. Demain, onze heures dans les bureaux d'Opticpower. Sur ce, il avait fait appeler Suzanne par son chargé de communications.

— C'est elle qu'il me faut, avait-il insisté. Elle est rapide et enfoncera le clou. Et puis, elle connaît mon style. Elle sent ce que je veux.

— Un autre cognac, monsieur Dayton ?

Johnny regarda son domestique debout dans l'embrasure de la porte.

— Vous savez bien, William, que je ne bois jamais deux verres d'alcool de suite.

Mais Johnny n'était pas dupe. Si William était debout à cette heure, c'est qu'il avait envie d'engager la conversation.

Johnny regarda son verre qu'un fond de cognac colorait d'une teinte ambrée et soupira.

Mis à part le moment merveilleux passé sous la douche avec Colombe, la journée s'était étirée en longueur et ce n'était pas fini. Il fallait encore qu'il voie sur son ordinateur si le discours était prêt et qu'il le peaufine. La nuit aussi promettait d'être longue. Il fallait pourtant qu'il soit tout à fait en forme et que son discours soit au point, pour affronter les pitbulls que les media allaient lancer à ses trousses.

— William !

Johnny tourna la tête vers son valet.

— Demain, je vais aux chiens.

— Pardon, monsieur ?

— Demain, je dois rencontrer les chiens, pas ceux des courses, ceux de la presse.

Il avala d'un trait son fond de cognac et se leva.

Il se sentait nerveux.

Parler, il fallait qu'il parle pour se détendre.

— Au fait, êtes-vous allé aux courses de lévriers pendant que j'étais en voyage ?

Les yeux de William se mirent à pétiller.

— Parce que j'aimerais que vous y emmeniez une amie à moi.

Il traversa la pièce et s'arrêta devant son domestique.

— Je suis sûr que vous ferez un excellent guide.

William cligna des yeux, l'air surpris.

— Je vous explique. Il faudra d'abord l'emmener déjeuner au Country club. Vous irez ensuite aux courses. Vous lui expliquerez comment parier, quels sont les bons chiens, enfin, vous voyez...

De plus en plus sidéré, William regarda Johnny.

— C'est entendu, monsieur Dayton. Vous pouvez compter sur moi.

— Parfait, William.

Johnny se retourna, fit quelques pas vers sa chambre et s'arrêta soudain.

— Au fait, mon ami…

— Oui, monsieur ?

— Je vous demande de ne plus m'appeler M.Dayton. Appelez-moi Johnny.

Sur ces mots, se ravisant, il fit demi tour et fila vers son bureau pour ouvrir ses e-mails.

Dring… Dring…

Colombe repoussa sa chaise et, sachant que sa mère devait la rappeler, décrocha le téléphone.

— Allô, ma chérie ? Voilà, c'est fait, j'ai appelé la dame de Laramie et elle m'a tout expliqué.

La mère de Colombe reprit son souffle.

— Au moment de l'accident, le camion d'Opticpower se trouvait exactement à cinq kilomètres de son ranch, à l'endroit précis où le câble a été sectionné. Elle a un témoin qui a tout vu mais son témoignage n'est pas recevable parce qu'il conduisait une mobylette volée et qu'il a été contrôlé positif au cannabis.

Colombe écoutait en silence. Le frère de Johnny, autrefois, faisait ce genre de bêtises. Le galapiat avait l'art de se mettre dans des situations impossibles et tout le monde, à Buena Vista, le traitait de mauvaise graine. Ce n'était pas comme son frère Johnny…

Comme sous l'effet d'une décharge électrique, Colombe se redressa brusquement. Une image venait de lui traverser l'esprit, une image découpée en puzzle, auquel il aurait manqué une pièce.

— Maman, dit-elle doucement, comment s'appelait le père de Johnny Dayton ?

Au bout du fil, sa maman hésita.

— Heu… Je crois qu'il s'appelait… Paul. Pourquoi me demandes-tu cela, ma chérie ?

Colombe crut qu'elle allait défaillir. Johnny le double, l'imprévisible, un jour vêtu d'un vieux jean et d'un T-shirt comme le jeune homme d'antan. Le lendemain d'un costume sombre de la meilleure coupe. Sautant dans le dernier tramway un jour, attendu par une limousine avec chauffeur le lendemain. Cet homme était multiple, déchiré, tiraillé entre des extrêmes.

Jpd, cela ne faisait plus de doute, c'était lui.

Jpd : Jonathan Paul Dayton.

10.

Colombe consulta son réveil. Cela faisait déjà une demi-heure qu'elle écrivait mais le sujet l'inspirait tellement qu'elle n'avait pas vu le temps passer. Ses mains avaient littéralement volé sur le clavier.

Elle était prête, maintenant.

L'allocution qu'elle avait préparée était terminée, il ne lui restait plus qu'à l'adresser à Jpd. Etait-il seulement au courant de ce que son directeur de la communication avait demandé à Colombe ? Par deux fois au moins, celui-ci avait insisté sur la nécessité absolue de faire allusion, dans son discours, au fait que la malheureuse mère était criblée de dettes, et de mentionner le fait, en l'explicitant, que l'unique témoin n'était pas crédible à cause du vol d'un deux roues et d'un penchant pour la drogue.

Colombe ne savait rien de la marche d'une entreprise comme Opticpower mais elle supposait que son P.-D.G. devait faire toute confiance à ses chefs de service. Sinon, à quoi auraient-ils servi ?

Pour autant, Johnny devait-il, les yeux fermés, croire tout ce qu'ils lui racontaient ? Comment, lui, le frère de Franky, pouvait-il blâmer un jeune garçon pour un simple vol de mobylette et quelques joints de cannabis ? L'histoire de son cadet aurait dû le rendre plus tolérant.

Quoi que les conseillers aient dit à leur P.-D.G., et qui allait sûrement dans le sens de ce que le chargé de la communication avait demandé à Colombe, elle n'en avait fait qu'à sa tête. Et Jpd allait au devant d'une drôle de surprise... Sans doute ne se servirait-il pas des notes qu'elle lui avait adressées ? Puisqu'elle avait décidé de prendre ce risque, c'était tant pis pour elle ! Elle ne serait probablement pas payée mais, du moins aurait-elle la conscience tranquille.

Elle caressa la souris et d'une imperceptible pression de l'index cliqua sur « Envoyer ».

Comme ses mains commençaient à trembler, elle les joignit et les frotta paume contre paume, puis elle se leva.

Elle ne tenait pas en place. Se tortillant les doigts, elle se mit à arpenter la pièce, certaine qu'il allait qualifier de *trahison* le discours qu'elle lui avait préparé.

Elle passa devant la fenêtre, s'y arrêta pour regarder la pluie tomber.

L'eau qui coulait sur les carreaux était pure. Mieux encore, purifiante. C'était ce souci de transparence qui l'avait poussée à écrire les lignes qu'elle venait d'adresser à Jpd. Peut-être n'aurait-elle pas dû ? Peut-être allait-il trouver qu'elle avait outrepassé son rôle ?

Si, malgré tout, il choisissait de se servir de son brouillon, il allait se retrouver en contradiction avec ce que le porte-parole d'Opticpower avait déjà raconté à la presse, et qu'il avait demandé à Suzanne d'écrire. Peut-être qu'en tant que P.-D.G., il ne franchirait pas la ligne, préférant rester en phase avec ses conseillers ? Mais peut-être le ferait-il ? Elle ne pouvait présager de rien.

Le résultat, c'est qu'elle se sentait comme une boule de nerfs !

Incapable de se calmer, elle continua de faire les cent pas dans son studio. Elle n'avait pas encore quitté ses vêtements de travail ni ses abominables baskets qui couinaient autant sur le parquet que sur le linoléum du restaurant. Elle ne savait que faire d'elle. Continuer d'écrire la nouvelle qu'elle avait commencée ? Lire ? C'était impossible : elle se sentait trop agitée pour rester en place, trop tourmentée par le personnage qu'était devenu Johnny.

Que devait-elle penser de lui ? Pouvait-elle lui faire confiance quand, ces dernières nuits, il les avait passées à écrire à une femme prénommée Suzanne, qui se trouvait être elle...

Elle s'arrêta et se regarda dans la vitre : elle était blême de jalousie. Comment osait-il mener ce double jeu ? Comment pouvait-on être aussi fourbe ? La duplicité était le dernier défaut dont elle l'aurait cru affublé.

Vexée, se sentant bafouée, elle allait taper de rage contre la vitre quand, subitement, elle éclata de rire.

N'avait-elle pas, elle aussi, passé des heures sur l'ordinateur à répondre à Jpd ? Ils étaient donc à égalité ! Plus grave encore, elle ne regrettait rien. Au contraire ! Par ce biais, elle avait découvert que, au-delà de l'attirance physique, intellectuellement aussi ils étaient sur la même longueur d'onde. Ce n'était pas par hasard que les événements les avaient rapprochés, lui aurait dit sa chère maman.

« Vous avez du courrier », lança la voix électronique.

Absorbée dans ses pensées, Colombe sursauta. A tous les coups, Jpd lui répondait. Excitée comme une puce, elle s'assit devant sa machine et lut.

« Nous sommes en pleine crise. Je dois défendre Opticpower et protéger ses salariés, et vous m'adressez un discours qui va dans le sens contraire de ce que mon chargé de la communication vous a indiqué. Au lieu de nous aider, vous apportez de l'eau au moulin de la plaignante et des media !

» A quoi jouez-vous ? »

Colombe sentit son sang se glacer. C'était donc *ça* le vrai Jonathan P. Dayton. Un industriel brutal, implacable, dictatorial. Voilà ce qu'il était advenu de Johnny.

N'empêche qu'il ne lui demandait pas de réécrire son discours. Il la tançait et c'était tout. Peut-être y avait-il un espoir ? Peut-être, au fond de lui, savait-il qu'elle avait raison, que ce discours était plus important que tous ces bobards que son entourage avait tenté de lui faire avaler ?

Mais c'était peu probable.

Quoi qu'il en soit, elle ne pouvait reculer. La main tremblante, elle se remit à son clavier.

« Les hommes les plus forts sont ceux qui refusent de se voiler la face », écrivit-elle.

Elle savait que la lecture de ce court message interpellerait Johnny. Après tout, il était temps que quelqu'un lui fasse lever le masque et qu'il redevienne Johnny, le Johnny qu'elle connaissait de Buena Vista.

Les larmes aux yeux, elle cliqua sur « Envoyer » et se leva de son bureau.

Elle en avait par-dessus la tête des e-mails et d'écrire ! Suzanne serait sans doute contrariée quand elle verrait le ton aigre qu'avaient pris leurs échanges. Tant pis ! Colombe lui expliquerait. Elle lui dirait toute la vérité.

Mais pour commencer, puisqu'elle se montrait exigeante envers les autres, elle se devait de l'être aussi envers elle-même. Dès demain, elle appellerait sa famille à Buena Vista pour dire la vérité : qu'elle avait quitté la faculté avec l'intention de revenir à la maison.

*
* *

Toc, toc, toc… Réveillée en sursaut, Colombe se frotta les yeux. Avait-on frappé ou avait-elle rêvé ? La tête dans du coton, elle tendit l'oreille : c'était la pluie contre les vitres.

Toc, toc, toc.

Non, elle ne rêvait pas : on cognait à la porte.

Se redressant sur un coude, elle regarda autour d'elle. Ecrasée par le stress, elle s'était endormie comme une masse sans même se déshabiller ni dérouler son sac de couchage. N'empêche qu'on tapait encore. Otto, peut-être ? Il grattait parfois à la porte quand il s'était laissé enfermer dehors. Mais ce n'était pas le frottement d'une patte de chat sur le battant d'une porte. Non. Quelqu'un frappait.

Elle jeta un regard au réveil. 2 heures du matin.

Toc, toc, toc.

Son propriétaire ? Puisqu'il pleuvait à verse, peut-être avait-il été appelé par un locataire pour colmater une fuite dans le toit et voulait-il vérifier que tout allait bien chez les autres occupants ?

En grognant, elle s'enveloppa dans une couverture et alla à la porte d'entrée. Un œil sur l'œilleton — il faisait noir comme dans un four, sur le palier — elle scruta l'ombre et, soudain, vit une boule noire se redresser. Comme une masse de cheveux. Puis des yeux apparurent. Des yeux d'un bleu unique qu'elle aurait reconnus entre mille.

Johnny…

Il semblait écrasé sous le poids de quelque fardeau trop lourd pour lui.

Intriguée qu'il se présente à une heure pareille, et émue par la lassitude et la fatigue qui creusaient ses traits, elle lui ouvrit sans attendre.

Sempiternelle veste de cuir noir, T-shirt blanc et jean défraîchi, il ne s'était pas changé mais il était trempé. Il sentait une odeur étrange, mélange original de cuir mouillé et de musc. La pluie ruisselait sur ses cheveux décoiffés. Le bleu de ses yeux était plus profond que jamais, et de fines gouttelettes de pluie étaient accrochées à ses cils noirs presque trop longs pour un homme. Il avait l'air tellement accablé, tellement tourmenté qu'elle eut peur pour lui.

L'espace d'un instant, elle se demanda s'il avait compris le subterfuge — que c'était elle qui avait écrit le brouillon de discours à l'encontre du travail que le directeur de la communication d'Opticpower lui avaient commandé. Qu'elle avait menti sur son identité.

Etait-il venu pour le lui reprocher ? Pour l'accuser de traîtrise ?

Elle se serra dans sa couverture, prête à recevoir la pluie d'insultes de sa colère.

— J'ai besoin de toi, murmura-t-il.

Il baissa la tête comme s'il avait été incapable de parler davantage, avec cet air pitoyable d'un soldat vaincu.

Instinctivement, elle lui ouvrit les bras et le serra contre elle. Il était trempé, gelé, mais il semblait à des années lumière de ce souci-là.

Il avait besoin d'elle, lui avait-il dit.

D'elle ?

C'était magnifique ! Trop beau !

Un long moment, ils restèrent ainsi, unis, ne faisant qu'un dans les bras l'un de l'autre. Enfermée dans son étreinte, elle sentait sa respiration haletante, ses muscles qui se décontractaient puis se crispaient de nouveau nerveusement. Ses cheveux luisants de pluie dégouttaient sur elle, mais elle n'en avait cure. Une seule chose comptait : il avait besoin d'elle.

D'elle !

Pour la première fois de sa vie, elle se sentit heureuse d'être elle-même. Elle se sentait grandie. Elle n'était plus la jeune fille qui se languissait de sa famille mais une femme dont l'amour s'abritait dans les bras de Johnny.

Sans rien brusquer, elle se dégagea de son emprise, l'attira à l'intérieur de son studio et referma la porte.

En silence, elle entreprit alors de le déshabiller. Tout en lui ôtant sa veste détrempée, elle essaya de deviner ce qui l'amenait chez elle ce soir. Ses conseillers lui avaient menti : ou, du moins, avaient-ils essayé de le tromper en lui relatant l'accident de Laramie. Quand il avait lu la version de Colombe qui, preuves à l'appui, démentait la version officielle, Johnny avait dû se retrouver confronté à son passé. L'homme qu'il était et celui qu'il était devenu se trouvaient en opposition. Il n'était plus que doute et déchirure. Secrètement, elle se prit à espérer que le Johnny de son enfance — le garçon intègre et généreux — l'avait emporté.

— Penche-toi, dit-elle d'une voix douce.

Il baissa la tête pour qu'elle puisse lui enlever son T-shirt. Elle avait envie de s'occuper de lui, de le rassurer, de le consoler comme il l'avait fait pour elle, autrefois, quand elle en avait eu besoin.

Après lui avoir ôté chaussures et jean, elle fila à la salle de bains, prit la plus grande de ses serviettes et revint le frotter pour le réchauffer. Se rendant compte qu'elle n'avait rien de chaud pour le vêtir, elle ramassa la couverture dans laquelle elle s'était enroulée et qui était tombée au sol et l'enveloppa dedans.

Alors, enfin, un sourire dissipa le masque de tristesse qui assombrissait le regard de Johnny.

— C'est bien la première fois qu'une femme partage la couverture qu'elle a sur le dos avec moi, plaisanta-t-il.

Elle eut envie de répondre. De dire quelque chose de léger, de spirituel, comme une antidote au froid et à la peine. Normalement, elle aurait trouvé le mot juste mais, percevant sous le ton badin de Johnny une grosse charge de mélancolie, elle préféra s'abstenir.

Le connaissant depuis l'enfance, elle savait la force dont il était capable pour ne pas s'attendrir sur lui, pour garder secrets, tout au fond de son cœur, ses chagrins et ses blessures.

Sans préambule, avec une brusquerie qui surprit Colombe, il changea de sujet.

— Qu'est-il arrivé à ta mère ?

Un long moment, ils se regardèrent sans parler. Que voulait-il dire ? Que lui avait-on raconté ? Avait-il croisé une ancienne relation qui lui en avait parlé ? Tout Buena Vista étant au courant de l'accident, ce n'était pas impossible.

Colombe hésita.

Elle n'aimait pas remuer ces souvenirs, beaucoup trop douloureux, mais si cela était nécessaire pour que la vérité éclate demain, elle se devait de lui dire. Johnny déciderait ensuite de son discours — peut-être la similitude entre les deux accidents l'aiderait-elle à faire le bon choix ?

— Un... un... acc... accident de voiture.

Et zut ! Elle bégayait déjà !

Elle inspira profondément dans l'espoir de reprendre son calme pour pouvoir exprimer... au moins quelques mots.

— Un conducteur a...

Elle parlait lentement, en articulant chaque syllabe comme un enfant.

—... a brû... brû... brûlé un stop et nous a heur... heurtés, ma mère... et moi.

Elle ferma les yeux. « Sois simple, se dit-elle. Pas besoin d'entrer dans les détails. »

Relevant les paupières, elle alla droit au but :

— Mais le mensonge a triomphé.

« De la même façon que ton entreprise falsifie la vérité pour gagner », pensa-t-elle.

Voyant le supplice que revivait Colombe, Johnny lui pressa un doigt sur les lèvres pour la faire taire.

— Il n'y avait pas d'autre témoin que toi ?

Elle fit non de la tête.

La suite était facile à imaginer pour qui connaissait le handicap de Colombe : elle avait été incapable de parler pour défendre sa mère.

Des larmes plein les yeux, elle se détourna. Comme tout semblait compliqué, alors que tout était si simple... Si limpide... S'il écoutait bien, s'il voulait bien entendre, Johnny devrait comprendre : le parallèle entre les deux situations devrait lui sauter aux yeux.

— Viens te coucher, lui dit-elle lui prenant la main. Tu vois bien que tu es mort de fatigue.

Sans protester, il s'allongea sur le sac de couchage et lui ouvrit la couverture dont elle lui avait enveloppé les épaules, pour qu'elle vienne s'y blottir.

Dehors, une rafale plus violente que les précédentes fit trembler la fenêtre, vibrer les carreaux. Johnny resserra son étreinte et elle ferma les yeux.

Elle ne voulait plus souffrir, plus se poser de questions sur hier ou sur ce qui se passerait ou ne se passerait pas demain. Elle voulait vivre ce moment le plus intensément possible, abritée des drames de ce monde dans le cocon moelleux et tiède de ses bras.

Lovée contre lui, enfin sereine, elle sourit.

La poitrine de Johnny était chaude contre elle. Elle entendait son cœur battre et le sentait cogner sous ses doigts. C'était rassurant de percevoir cette force tranquille et régulière.

Elle se serra plus fort encore contre lui et commença à promener les doigts sur ses épaules, ses bras, ses mains.

De longues minutes passèrent ainsi, faites de caresses, de tendresse, de douceur. Toutes choses que le monde de brutes dans lequel gravitait Jonathan Paul Dayton ne lui avait jamais données.

— Colombe, lui chuchota-t-il à l'oreille. Je t'aime.

De surprise, elle lâcha la mèche de cheveux encore mouillée qu'elle était en train de glisser derrière l'oreille de Johnny.

Jamais, même dans ses rêves les plus fous, elle n'avait imaginé que, un jour, Johnny Dayton lui ferait une aussi belle déclaration.

Par la fenêtre, elle vit les nuages s'éloigner. Un rai de lune éclaira le studio. Dans la lumière pâlotte, elle devina ses traits et sourit de bonheur. Jpd le cruel s'était totalement dissout dans la pénombre, laissant la place à un amour de Johnny, détendu et heureux.

Elle enfouit le nez dans son duvet et l'embrassa. Il sentait bon. Mon Dieu, qu'il sentait bon ! Mais l'instant était trop précieux pour qu'elle le trouble en tentant de parler, aussi préféra-t-elle prolonger son baiser.

« Moi aussi, je t'aime, Johnny, pensait-elle. Je t'aime depuis toujours… et je t'aimerai toute ma vie. »

Mais il était tard. Une longue journée attendait Johnny demain, elle le savait. Décidée à être raisonnable, elle déposa de menus baisers sur sa joue et un dernier, plus gourmand, sur ses lèvres en guise de bonne nuit. Aussitôt, incapable de résister au contact de ses lèvres sur les siennes, Johnny happa la bouche de Colombe et l'embrassa avec fougue.

Il avait envie d'elle et le lui fit sentir.

Il enveloppa ses seins, les palpa, en taquina les pointes du bout des pouces. Complètement éveillée malgré l'heure tardive et la fatigue, Colombe se mit à onduler contre lui. Le sexe de son amant était doux contre ses cuisses. Oh !

Si doux ! Jamais elle n'avait imaginé qu'une caresse puisse être aussi tendre. Cela relevait de la magie... Du paradis.

Les nerfs à vif, la jouissance à fleur de peau, Colombe creusa les reins.

— Fais-moi l'amour, lui murmura-t-il, la voix rauque de désir.

Roulant alors sur le dos, il la souleva et l'assit sur lui.

C'est un nouveau Johnny qui se révéla alors. Un Johnny qui contrastait avec le Jpd qui jouait les intraitables. L'homme qu'elle allait aimer était un homme avec toutes les faiblesses des hommes. Un homme comme un autre qui voulait qu'on lui donne du plaisir.

— Fais-moi l'amour, répéta-t-il, la voix sourde.

L'urgence et la force de son désir la stupéfièrent d'abord.

A califourchon sur lui, elle se pencha en avant et lui enserra la nuque que ses cheveux avaient mouillée.

Une lueur sauvage brillait dans les yeux de Johnny. Soupirant de plaisir, elle écrasa sa bouche sur la sienne et l'embrassa sans retenue. Leurs langues complices se répondirent avec la même ardeur.

Quand leurs lèvres se défirent, Colombe se releva sur les bras pour le contempler... Elle voulait que s'impriment à jamais dans son esprit les traits de Johnny radieux de désir.

— Ah, Colombe, supplia-t-il. Aime-moi...

La voix était douloureuse.

Le sentant vulnérable et désirant, elle l'accueillit entre ses cuisses pour qu'il la possède, se console, et la fasse soupirer de bonheur.

Timide d'abord, elle se mit à glisser lentement sur son sexe gonflé et chaud puis, enhardie par les gémissements de son compagnon, elle laissa monter la fièvre entre eux jusqu'au galop.

Ils n'étaient plus que feu.

Soudain, Johnny lui prit les hanches et la pressa contre lui. Il était maintenant au plus profond de sa féminité. Pantelante, éperdue, elle lui griffa la poitrine, ne sachant plus si ce qu'elle ressentait ressemblait à du plaisir ou à de la douleur.

Un éclair illumina la pièce, laissant à Johnny le temps de la voir, nue, la tête rejetée en arrière, haletante, le chevauchant comme une amazone chasseresse. Elle était agrippée à lui, fougueuse et ardente, révélant enfin son vrai tempérament. Oubliées la timidité, la réserve, l'innocence. Sans fausse honte et sans pudeur, elle dévoilait sa nature de feu, la part cachée, sauvage et belle, de sa personnalité.

Le noir envahit de nouveau le studio et la pluie redoubla de puissance contre les vitres. Les éléments extérieurs semblaient s'être donné le mot pour vibrer à l'unisson de la passion qui incendiait les deux amants.

Soudain, plus un son, plus un bruit. Le monde entier semblait s'être assoupi.

Alors, choisissant cet instant pour exploser, Colombe et Johnny s'offrirent mutuellement le plaisir liquide qu'ils ne contenaient plus.

Reprenant peu à peu ses esprits, recouvrant quelque force, Colombe se laissa rouler sur le côté. Dans les bras l'un de l'autre, ils regardaient ensemble par la fenêtre le rideau de pluie qui les protégeait du monde.

Le contour des étoiles se brouilla. La lune pâlit. Le monde avait changé. Rien ne serait plus comme avant.

A potron-minet, Johnny ouvrit un œil. La pluie cognait toujours contre les vitres, mais le pire de la tempête était derrière eux.

Un coup d'œil au réveil lui indiqua quatre heures. Toujours ce stress qui l'empêchait de dormir quand il avait un souci professionnel. Dans ce cas, il allait généralement dans la cuisine se verser un verre de lait et grignoter quelque chose. Sur les entrefaites, William, l'air de rien, faisait d'ordinaire son apparition, feignant de trouver normal que l'on prenne son petit déjeuner à cette heure indue.

Johnny regarda Colombe qui dormait profondément et sourit. Sa tendresse lui avait apporté beaucoup ces jours-ci. Elle était la pureté, la transparence même. Une source d'eau limpide, une fontaine de vie.

Elle, au moins, les affaires ne l'avaient pas abîmée. Qu'une femme aussi merveilleuse puisse exister relevait du miracle de nos jours.

De nouveau, l'envie de la prendre l'étreignit, mais il respecta son sommeil. De toutes façons, c'était décidé, ils allaient partager à l'avenir beaucoup plus que les quelques moments qu'ils venaient de connaître ensemble.

Pour la première fois de sa vie, Johnny découvrait qu'il voulait vivre le reste de sa vie avec une femme.

Avec Colombe.

Se glissant hors de la couverture, il fila dans la cuisine sur la pointe des pieds, ouvrit le réfrigérateur dont il inspecta le contenu pour finalement jeter son dévolu sur une brique de lait.

Alors qu'il se servait, il remarqua une petite maison de terre cuite sur le plan de travail et la prit dans sa main. Bien sûr ! se rappela-t-il. C'était l'une de ces maisonnettes que la mère de Colombe fabriquait de ses doigts de fée et dont elle était si fière !

Ah, qu'elle était saine, la vie, à Buena Vista !

Il finit son verre, rangea le lait dans le réfrigérateur et resta rêveur.

Toujours sur la pointe des pieds, il regagnait le lit quand une loupiote verte attira son regard.

Curieux ! se dit-il. Il ne l'avait pas remarquée plus tôt. Il est vrai qu'à peine entré, Colombe l'avait attiré dans son lit et que plus rien n'avait compté que son parfum, son envie de lui faire l'amour, son besoin d'être accepté et aimé par elle.

Intrigué, il s'approcha du bureau et vit qu'il s'agissait du témoin d'un ordinateur portable.

Bizarre ! Il n'avait jamais remarqué qu'elle avait un ordinateur.

Le premier soir, sa table était encombrée de livres, de papiers et même de tasses de café vides… Et puis Colombe… Il préféra chasser ce souvenir sulfureux.

La deuxième fois, il avait arpenté la pièce pendant qu'elle prenait sa douche, mais son esprit vagabondait ailleurs… Y aurait-il eu un éléphant assis à son bureau, il ne l'aurait même pas vu !

Peut-être avait-elle emprunté ce portable à une amie et avait-elle oublié de l'éteindre ? Il faudrait qu'il lui pose la question. Pour l'heure, il allait le refermer pour elle et se recoucher.

Il releva l'écran et cherchait la touche *off* sur la machine quand son regard fut happé par le message de Suzanne qui s'adressait à lui.

Par quel tour de passe-passe l'e-mail de Suzanne se trouvait-il sur le portable de Colombe ?

De plus en plus intrigué, il se pencha plus près pour lire le nom des fichiers affichés à l'écran :

Jpddiscours1.doc

Jpddiscours2.doc
Jpddiscours3.doc

C'était de la magie ! Que s'était-il passé ?

Logiquement, il n'y avait qu'une explication possible : Si cet ordinateur avec ces fichiers étaient chez Colombe, c'est que Colombe était Suzanne. Elle signait Suzanne mais elle était Colombe. La plus élémentaire des corrections eût été qu'elle le lui dise.

C'était une entorse à la déontologie. Pire, une trahison. Une trahison au goût amer.

Il réfléchit une seconde et hocha la tête.

« Tel est pris qui croyait prendre », se dit-il, se moquant de lui-même.

Le poseur de lignes s'était fait piéger. Si au lieu de se laisser bêtement aveugler par l'amour — ou par le feu qui avait embrasé ses sens — il avait réfléchi, il aurait dû s'étonner. S'étonner des similitudes entre Colombe et Suzanne. Le même amour pour Emily Dickinson, la poétesse. La même fascination pour l'écriture, pour les mots. Ces mots qu'elle maniait avec tant d'aisance au fil de sa plume… électronique.

Mais pourquoi avait-elle menti ?

Qu'avait-elle à dissimuler ?

Il hocha la tête.

Dans le fond, ce n'était pas si grave. Lui qui avait le pouvoir et s'en servait, si nécessaire, pour manipuler les autres savait, par expérience, que c'est une perte de temps et d'énergie que de tenter d'analyser les motivations des humains.

Sur cette réflexion, il traversa le studio, passa ses vêtements qui étaient encore humides de la pluie de la nuit et se dirigea vers la porte.

Décidément, tout en ce bas monde était pourri. On ne pouvait faire confiance à rien ni à personne. Même pas à Colombe ! Jamais il n'aurait pensé qu'elle soit capable de jouer ce double jeu. Pas elle ! La déception n'en était que plus cruelle !

Il referma la porte derrière lui, sachant que cet épisode-là de sa vie, aussi, était derrière lui.

11.

Quand Colombe ouvrit les yeux ce matin-là, son réveil affichait 9 heures et demie et le soleil brillait.

Un coup d'œil alentour : Johnny n'était plus là.

D'abord déçue, elle se rappela qu'il donnait sa conférence de presse à onze heures. Ce n'était donc pas étonnant qu'il soit parti sans attendre qu'elle se réveille.

Un peu anxieuse, elle se demanda quel angle il allait choisir pour son allocution.

Le Johnny qui s'était présenté à sa porte hier soir avait l'air tourmenté et elle savait pourquoi. Il était déchiré entre la vérité, qu'il subodorait, et les mensonges dont l'avaient abreuvé son conseil d'administration, son directeur de la communication et ses avocats.

C'était la réponse à la question qu'il lui avait posée au sujet de sa mère qui l'avait troublé. Elle avait bien vu son regard se brouiller quand elle lui avait dit que le mensonge avait triomphé. Il avait sûrement compris le message qu'elle avait voulu lui faire passer : qu'une vie entière peut être détruite à cause de faux témoins ou de pleutres.

10 heures moins vingt, lut-elle de nouveau à son cou-cou.

Il était temps qu'elle s'agite si elle voulait assister à la conférence de presse. Elle aurait dû insister pour qu'il la réveille.

Colombe regarda son téléphone et vit qu'il clignotait.

Un message, se dit-elle. Peut-être avait-il appelé ?

C'était une voix féminine et charmante appartenant à une certaine Sheila, qui lui annonçait qu'une bourse généreuse avait payé la fourrière et que sa jeep se trouvait depuis ce matin au pied de son immeuble. Les clés étaient cachées sous le paillasson du siège avant gauche.

Stupéfaite, Colombe se précipita à la fenêtre. Sa voiture, Em, l'attendait effectivement en bas.

Qui pouvait bien être cette Sheila ? Et quelle âme charitable avait eu pitié de sa bourse plate ?

Colombe consulta de nouveau le réveil.

10 heures moins le quart.

Il était trop tard pour appeler le secrétariat du P.-D.G. d'Opticpower, mais eût-elle eu le temps de le faire, elle l'aurait parié, c'est une Sheila qui lui aurait répondu.

Comme elle s'extirpait de sa couverture pour s'habiller, elle constata que le couvercle de son portable était entrouvert.

« Il me semblait bien l'avoir éteint et fermé... » , se rappela-t-elle, étonnée, en rabattant l'écran.

Décidément, cela faisait vraiment trop de mystères en trop peu de temps.

Les deux mains sur le volant de sa jeep, Colombe changeait un peu cavalièrement de file, quand un coup de Klaxon sans ambiguïté la remit dans le droit chemin.

— Tu as trouvé ton permis de conduire dans une pochette-surprise ? lui lança un automobiliste en la menaçant du poing.

Elle sourit et accéléra.

Il ne lui restait que quelques minutes avant le début de la conférence de presse qui se tenait devant la tour qui abritait les bureaux d'Opticpower. Elle n'avait pas de temps à perdre à écouter les mauvais coucheurs !

Sans même arrêter le moteur, elle bondit de sa jeep qu'elle confia à un voiturier. Des dizaines de personnes se pressaient déjà devant l'immeuble. Une centaine au moins. Elle n'avait jamais vu autant de journalistes et de caméras, mais aussi de contestataires brandissant des calicots hostiles.

En haut des marches, à dix mètres environ de l'endroit où elle se trouvait, un petit groupe en costumes sombres discutait près d'un podium équipé de micros. L'un de ces costumes n'était autre que Johnny. Il était penché vers un autre costume sombre, aussi chic que lui, qui semblait lui murmurer dans le creux de l'oreille une chose extrêmement importante et tout aussi secrète, à en juger par leur concentration et leur discrétion.

De là où elle était, elle ne pouvait voir le visage de Johnny mais, à son attitude, elle le sentait très maître de lui.

Un homme dans le même costume de ministre que Johnny monta sur l'estrade et, après avoir imposé le silence d'un geste, annonça :

— Mesdames et messieurs, monsieur Jonathan Dayton, président-directeur général d'Opticpower.

Quelques applaudissements mêlés de *hou hou* contestataires retentirent.

Colombe pensa que l'attroupement devait être constitué des salariés du groupe et de résidents de Laramie venus soutenir la famille de la victime.

— Bonjour, mesdames, bonjour, messieurs, lança un Johnny de marbre, comme si les huées ne parvenaient pas à ses oreilles.

Son air détaché stupéfia Colombe. Qu'était-il advenu de l'homme de chair et de sang qui se tenait sur le seuil de son studio hier soir ? Le Johnny debout sur l'estrade lui apparut soudain effrayant d'indifférence et de froideur.

Le silence se fit aussitôt dans les rangs. Tous attendaient qu'il parle.

Johnny posa les mains sur le lutrin et se pencha en avant.

— De récentes allégations dans les media ont fait état de la responsabilité d'Opticpower dans la destruction accidentelle d'une ligne téléphonique à Laramie.

Ledit accident aurait empêché une mère de famille d'appeler les secours pour venir en aide à son fils. Aujourd'hui, je déclare solennellement qu'aucun camion appartenant à Opticpower ne circulait dans un rayon de trente kilomètres du lieu de l'incident.

Colombe sentit son sang se figer. Comme un perroquet, Johnny répétait ce que son chargé de communication lui avait dicté.

N'en croyant pas ses oreilles, elle fendit la foule pour se rapprocher… Pour voir son visage. Croyait-il vraiment ce qu'il disait ?

— Quand vous êtes un géant, comme Opticpower, vous êtes une cible idéale, poursuivit-il.

Le son de sa voix déplut à Colombe. Elle était autoritaire, arrogante, à l'image des visages du staff dirigeant qui entourait l'estrade, bras croisés sur la poitrine, regards hautains sur la foule devant eux.

Révoltée, Colombe serra les dents et continua d'avancer sans se soucier du désordre qu'elle créait.

Aucune excuse, aucune justification ne pourraient venir à bout ni de la déception ni de la fureur qu'elle sentait bouillir en elle.

Arrivée au pied de l'estrade, elle s'arrêta. Les poings serrés, l'estomac noué, elle leva les yeux vers lui. Leurs regards se croisèrent. Il s'arrêta de parler puis balaya l'audience des yeux comme s'il n'avait pas vu Colombe.

Mais il l'avait vue ! Et il l'ignorait… Pourquoi ?

— Un témoin prétend avoir aperçu un camion d'Opticpower circulant à l'heure et au jour dits sur les lieux de l'incident.

Colombe remarqua qu'il crispait les mâchoires.

Il marqua un temps d'arrêt.

— Ma question est la suivante : quelle crédibilité accorderiez-vous à un adolescent sous l'emprise de la drogue ? Feriez-vous confiance à un voleur ?

— Oui ! s'écria Colombe.

Son cri lui avait échappé.

Écarlate, elle souhaita que la terre s'ouvre et l'engloutisse. Oser contrer le P.-D.G d'Opticpower ? Allait-elle à jamais s'aliéner Johnny ?

C'était trop tard pour se rétracter.

Les joues en feu, elle fit un pas de plus vers l'estrade. Leurs regards se croisèrent de nouveau mais, cette fois, l'air supérieur qu'arborait Johnny l'avait quitté. Il semblait, en revanche, franchement étonné.

Aussitôt, elle comprit. Comprit qu'elle venait d'oser s'exprimer en public, devant des caméras, des reporters, devant une foule immense. Que Johnny en avait pris conscience et qu'il en restait complètement éberlué.

Elle n'avait rien prémédité pourtant. Cela avait été plus fort qu'elle, elle avait réagi à l'horreur de cette contrevérité.

Un coup de chaud la submergea. Elle sentit ses joues se colorer. Son sang battre très fort contre ses tempes.

Elle avala une bonne bouffée d'air pour calmer ce cœur qu'elle entendait cogner contre ses côtes. Elle ne pouvait accepter ça ! Elle ne devait pas le laisser s'enferrer dans le mensonge. Il fallait qu'elle parle. Au nom de la jeune mère bafouée. Il le fallait.

Si elle avait échoué lors du procès qui engageait l'avenir de sa maman, cette fois-ci elle réussirait. Elle tenait là une deuxième occasion de faire éclater la vérité. Elle ne la laisserait pas échapper.

— Vous…, lança-t-elle.

Zut ! Elle tremblait.

Elle raidit les bras le long de son corps et serra les poings. Il fallait qu'elle soit forte.

Elle inspira une nouvelle fois, profondément, et recommença.

— Vous soutenez vos employés parce que vous avez été in… in… incapable…

Elle s'interrompit.

— … de pro… protéger votre propre famille.

Si elle était capable de maîtriser son corps, elle ne pouvait rien contre son bégaiement. Peut-être valait-il mieux pour ne pas se ridiculiser qu'elle se sauve tout de suite ?

Elle cligna des yeux, comme pour chasser le vent de panique qui soufflait subitement sur elle.

Elle n'avait que trop souvent fui. Du tribunal. De l'estrade, à la faculté. De l'université. Tout cela parce qu'elle bégayait.

Si elle s'enfuyait aujourd'hui encore, elle passerait sa vie à se sauver et son existence ne serait qu'une fuite stérile et sans fin…

Un conseiller de Johnny, penché sur le lutrin, lui susurra quelque chose à l'oreille. Il y avait dans le comportement de l'homme quelque chose de l'attitude de Jillian au restaurant. Sans doute suggérait-il à Johnny de la faire discrètement évacuer les lieux ? Elle croyait entendre les mots *pathétique, bègue, ridicule…*

Sa colère décupla.

« Qu'ils aillent tous au diable avec leur suffisance », se dit-elle.

Outrée, elle releva la tête.

Peu importait qu'ils soient puissants, elle ne permettrait pas que les plus forts écrasent les plus faibles, que les riches piétinent les misérables. Ils auraient beau la menacer, la bâillonner, elle ne laisserait jamais cette jeune mère souffrir comme l'avait fait sa petite maman.

— Vous avez le pouvoir d'aider une femme et son enfant, lança Colombe, un doigt accusateur pointé sur Johnny. Vous avez le pouvoir de falsifier la vérité… ou de dire vrai.

Une partie de la foule se mit à applaudir. Les reporters pointèrent leurs micros vers Colombe.

— Connaissez-vous la jeune mère de Laramie ? interrogea l'un d'eux.

— Avez-vous parlé avec le jeune homme qui a vu le camion ? s'enquit un deuxième. Il paraît que c'est un individu dangereux ?

Colombe ne répondit pas mais se tourna vers la foule qui s'était tue.

— La jeune mère s'appelle Sandra Hayes. Elle est dans l'annuaire téléphonique. Appelez-la et demandez-lui sa version des faits. Elle dit que le témoin n'est pas un voyou, encore moins un individu dangereux. Elle reconnaît qu'il a commis des actes répréhensibles. Allez-vous asseoir un enfant sur la chaise électrique au simple motif qu'il a dérobé une mobylette ?

Colombe reprit son souffle.

— Mme Hayes affirme que ce garçon n'est pas un menteur. C'est sa parole contre celle du géant Opticpower. Opticpower prétend qu'elle veut les traîner devant la justice pour leur soutirer de l'argent, mais c'est faux. Elle veut seulement la vérité.

Comme soulagée par son exploit, Colombe retraversa la foule. C'était comme si le poids de son échec lors du jugement du chauffard qui avait accidenté sa mère s'était subitement envolé. Elle se sentait légère. Elle se sentait des ailes.

Soudain, marquant brutalement le pas, elle se retourna vers l'estrade.

— Dis-leur la vérité, Johnny. Au nom de Franky.

Leurs regards se soudèrent une nouvelle fois. Les traits tirés, un masque triste de Johnny.

Voyant qu'il se taisait, elle fit demi-tour pour s'en aller.

Non, elle ne se retournerait pas. D'ailleurs, elle ne se retournerait plus. Plus jamais. Quelles que soient les circonstances.

Dorénavant, elle irait toujours de l'avant, vivrait sa vérité et ne reculerait plus.

L'air absent, comme s'il ne remarquait pas les journalistes qui envahissaient l'estrade, Johnny regarda Colombe s'éloigner et quitta les lieux, laissant ses avocats aux prises avec les reporters ravis du chaos de la conférence de presse.

Demain, les journaux et les chaînes de télé en feraient leurs choux gras…

— Jonathan, appela Christine, juchée sur ses hauts talons. Tu as été sublime.

— Absurde ! gronda-t-il.

— Mais, Jonathan…

— Foutaise !

Il ne se sentait plus d'humeur à jouer ce jeu avec elle. Il ne se sentait plus d'humeur à feindre. A accepter les louanges et les flatteries de certains de ses subordonnés. A accepter les mesquineries des autres.

Que n'aurait-il donné pour échanger un mot de plus de Colombe contre tous leurs éloges.

Mais c'était trop tard…

A son regard plein de mépris, il avait compris qu'elle ne voulait plus rien avoir à faire avec lui. Dommage ! Il n'aurait jamais l'occasion de lui dire que son équipe d'avocats avait mené son enquête et qu'en dépit de ce qu'elle avait avancé pour défendre la jeune mère, elle se fourvoyait.

Le clic clac des talons de Christine sur le béton s'arrêta un instant, au grand soulagement de Johnny. Mais le répit fut de courte durée. Le clic clac se rapprochait.

— Au fait, Jonathan, en ce qui concerne Brad… , lança-t-elle, derrière lui.

Irrité, Johnny s'arrêta net et se retourna vers elle.

— Justement, l'interrompit-il. J'ai décidé de le nommer vice-président du Développement de la société. J'allais justement t'en informer.

Christine resta d'abord sans voix puis :

— Mais, mais… c'est mon poste.

— Ça ne l'est plus.

— Quand as-tu… ?

— Depuis que j'ai lu ton mémo qui n'était qu'un tissu de contrevérités.

Vérité. Mensonge…

Soudain, dans les méandres de sa pensée, tout s'éclaircit. Ses conseils juridiques ne lui auraient-ils pas menti au sujet

162

du câble sectionné ? Menti pour protéger la société ? Pour ne pas prendre le risque de déplaire aux actionnaires ? Ou tout simplement pour ne pas s'attirer ses foudres ?

— Mais...

— Christine, tu ne fais plus partie de la société. Tu peux prendre tes affaires.

Il se retourna et poursuivit son chemin, regrettant simplement de ne pas avoir réglé ce problème plus tôt. De ne pas avoir agi avec plus de clairvoyance et de fermeté depuis longtemps.

Il s'engouffra dans la porte à tambour vitrée et traversa le hall.

Il se sentait déçu, trahi. Colombe lui avait menti en se prétendant Suzanne. En même temps, le tour de force qu'elle venait d'accomplir en s'adressant aux media et aux employés de la société avec une conviction inébranlable était digne d'admiration.

Comment s'y était-elle prise pour réussir cet exploit ? De quelle détermination, de quel courage elle avait dû faire preuve !

Un jour, sous le sceau du secret, son frère Bud avait confié à Johnny que, quand sa sœur était hors d'elle et se savait dans son droit, elle *oubliait* de bégayer. Il se rappelait qu'à l'époque le mot *oublier* l'avait fait rire. En tout cas, il venait d'en avoir l'illustration... Si ce n'est qu'elle n'était pas dans son droit.

La nuit passée, quand il avait lu le brouillon que lui avait rédigé la pseudo Suzanne, sa première réaction avait été la colère. De quel droit se permettait-elle d'écrire un discours complètement à côté de la plaque ? Et puis il avait regardé la télévision et au journal il avait vu la femme de Laramie qui critiquait vertement Opticpower et dénonçait les manœuvres frauduleuses de la société pour tirer son épingle du jeu.

Déchiré, il avait encore une fois appelé son avocat qui avait juré ses grands dieux que la femme de Laramie mentait. Jamais camion d'Opticpower n'avait tourné dans les parages du câble endommagé. Son homme de loi, pour le rassurer tout à fait, avait ajouté que le témoin absorbait régulièrement des substances hallucinogènes et que, en conséquence, il n'avait aucun sens des réalités.

— C'est sa parole contre la nôtre, avait-il conclu d'un ton définitif.

Johnny avait raccroché mais était demeuré perplexe.

D'un côté il y avait le visage de cette jeune mère, effondrée et tellement inquiète pour son fils. D'un autre côté, si sa société était accusée à tort, c'était plus que le nom d'Opticpower qui s'en trouverait sali. Son chiffre d'affaires s'effondrerait. Il serait contraint de mettre du personnel au chômage. Cela entraînerait une réaction en chaîne néfaste pour tous.

C'est ce moment qu'il avait choisi pour enfiler sa veste et partir voir Colombe. La blanche, la lumineuse Colombe. Dans la nuit opaque des affaires, elle restait son seul phare. Sa lumière. Celle qui lui indiquait son chemin. Celui qui le ramenait vers ses jeunes années. Vers l'innocence et la pureté. Vers chez lui.

Puis, à l'aube, quand il avait lu cet e-mail sur son ordinateur portable et compris qu'elle l'avait mystifié, il avait éprouvé un sentiment d'écœurement. Le monde, décidément, n'était qu'un cloaque. Le visage de l'innocence, celui de Colombe et celui de la jeune mère de Laramie, n'avait pas le monopole de la vérité. Les sociétés comme la sienne étaient tout juste bonnes à payer, à se faire racketter.

A cette pensée, il avait opté pour la logique.

Puisqu'il avait la chance de pouvoir s'offrir un conseil d'avocats, il allait suivre leur ligne et défendre bec et ongles sa société à la conférence de presse.

Johnny prit l'ascenseur pour le soixantième étage et, arrivé à son niveau, fila vers son bureau.

— N'oubliez pas de consulter vos e-mails, lui lança Sheila.

Elle le connaissait bien et, à un kilomètre de distance, aurait pu dire son humeur.

« Taciturne, aujourd'hui. »

Il s'enferma dans son bureau, s'assit à sa table et ouvrit son ordinateur. Puis il demanda à Sheila d'appeler Sandra Hayes pour lui. Se ravisant aussitôt, il appela lui-même les renseignements pour obtenir le numéro de téléphone de la jeune mère.

— Qu'est-ce que tu attends pour rentrer chez toi ? dit Dorothy à Colombe. Ce n'est pas parce que c'est ton dernier jour de travail que tu dois rester toute la nuit. Pas vrai, Alberto ? Dis-lui de partir, toi. Peut-être qu'elle t'écoutera ?

Le cuisinier retourna plusieurs steaks hachés sur son grill et approuva.

— Tu as toujours raison, ma Dorothy.

Colombe écarquilla les yeux et rit.

Qui aurait cru, une semaine plus tôt, qu'Alberto le grincheux se métamorphoserait un jour en cet amour d'homme, toujours content, toujours d'accord ? « L'amour fait des prodiges, se dit-elle intérieurement. Mais, songeant aussitôt au désert qu'était sa vie, son visage s'assombrit.

Le cœur en berne, elle reprit un citron qu'elle se mit à trancher, histoire de s'occuper les mains et de ne plus penser à Johnny.

Mais ce n'était pas facile : Johnny l'obsédait. Hier soir, elle avait revu en pensée les quelques heures qu'ils avaient passées ensemble. Il avait eu envie d'elle, l'avait aimée et lui avait dit qu'il l'aimait.

Puis, pendant la conférence de presse, tout s'était mis à dérailler.

Cela s'était passé comme cela :

Pour commencer, elle avait été tout excitée de voir Johnny à la tribune. Elle espérait encore qu'il allait abonder dans le sens de ce qu'elle avait écrit, mais tout avait basculé quand elle l'avait entendu, d'un ton détaché, très professionnel, affirmer qu'Opticpower n'avait aucune responsabilité dans l'affaire de Laramie.

A ce moment-là, cela avait été plus fort qu'elle, elle lui avait crié sa colère. En public !

Quelle surprise, alors, de s'entendre parler sans bégayer ! Elle ne se rappelait plus très bien ce qu'elle avait dit, mais elle se souvenait d'applaudissements et de micros qu'on tendait vers elle. Elle était hors d'elle... et elle avait parlé couramment. Dommage qu'il ait fallu qu'elle soit en colère pour qu'il en soit ainsi.

Elle coupa la dernière tranche du citron et en huma le parfum acidulé.

Si seulement elle avait pu faire machine arrière et revenir au temps où elle était une petite fille sans souci à Buena Vista...

— Tiens, donc ! s'écria soudain Alberto, ça ne serait pas ton boy-friend par hasard ?

Colombe jeta un coup d'œil par l'entrebâillement de la porte.

Johnny ?

— Pas en vitrine ! A la télé, ma poule, dit Dorothy. Regarde ! Si, c'est lui. Monte le son, Alberto chéri. Tu vois bien qu'on n'entend rien.

Alberto s'exécuta.

Pas de doute, c'était bien Johnny qui s'exprimait à l'antenne.

— Opticpower a toujours respecté sa devise : *Grandeur et Intégrité*, disait-il. Ce soir, au nom d'Opticpower, je viens adresser publiquement mes excuses, et celles de l'entreprise que je dirige, à Sandra Hayes, car nous ne nous sommes pas montrés à la hauteur de notre devise.

L'œil rivé sur l'écran du téléviseur, Alberto posa le steak haché qu'il venait de griller sur une moitié d'un petit pain rond brioché ; comme un automate, il ajouta machinalement une feuille de salade verte, une tranche de fromage carrée, une giclée de sauce tomate, des rondelles d'oignons frits et, toujours sans regarder, couvrit cet échafaudage de la deuxième moitié du petit pain rond brioché.

— Tu as vu son costume ? Il ne l'a pas acheté en soldes celui-là ! Ça, il ne peut pas le dire ! A propos, il t'a fait sortir ta jeep de la fourrière ?

— Tais-toi, tu vois bien que son copain parle, dit Dorothy.

Puis plus bas :

— Il a fait sortir ton auto ?

Sans quitter le poste des yeux, Colombe fit oui de la tête .

Elle se sentait fière. Fière de Johnny. Il avait finalement pris contact, personnellement, avec Sandra Hayes et avec le jeune témoin qu'il qualifiait maintenant de délinquant revenu dans le droit chemin. Repenti, avait-il dit. Et il se rétractait et retirait les propos qu'il avait tenus plus tôt sur la non-responsabilité d'Opticpower dans l'affaire.

— Il est pas mal, approuva Dorothy. C'est plutôt un beau gosse, ton copain !

Comme s'il prenait ombrage de cette appréciation, Alberto grommela un ordre.

— Chaud devant, Dorothy.

Sans se le faire répéter, la serveuse attrapa les assiettes, trois en équilibre sur l'avant-bras, une quatrième dans l'autre main et, avec un balancement des hanches plutôt sexy, fila vers la salle de restaurant.

Délaissant son air bougon, Alberto, qui ne quittait pas son accorte serveuse des yeux, émit un petit grognement satisfait puis porta de nouveau le regard sur l'écran de télévision.

— Tu sors toujours avec lui ?

Dorothy l'avait dit et elle avait raison, Alberto était une vraie commère.

— Non, répondit Colombe.

Entre eux, c'était cassé. Pour la première fois, elle le réalisait pleinement. Il est vrai que, depuis la conférence de presse, elle n'avait guère eu le temps de s'apitoyer sur leur rupture tant elle avait eu de choses à régler.

Après avoir annoncé à son propriétaire qu'elle mettait un terme à son bail, et à son employeur qu'elle démissionnait, elle avait organisé son départ avec son frère. Dès ce soir, c'était convenu, il la ramenait à Buena Vista. Denver, c'était fini et c'était aussi bien comme cela.

Mais, cette fois, elle ne se sauvait pas comme une voleuse. La tête haute, elle partait vers de nouvelles aventures, des aventures qu'elle espérait positives. Elle rentrait chez elle, dans son pays, le seul endroit où elle se sentait bien.

A la télévision, Johnny continuait de répondre au feu croisé des questions des journalistes. Il avait beau avoir revu sa position, elle savait qu'entre eux cela ne marcherait jamais. Leurs routes s'étaient croisées à un moment où chacun d'eux avait besoin de l'autre, mais ils allaient poursuivre leur chemin, chacun sur ses rails.

Séparément.

Johnny appartenait à un monde où elle n'avait pas sa place : le monde des requins.

Pour elle, la famille, les amis, le droit de rêver comptaient plus que tout. Peut-être était-elle un peu utopique ? Ce n'était pas grave, ce n'était pas contagieux.

Alors qu'elle gambergeait un peu tout en regardant l'écran, elle vit soudain Johnny lever les bras. Sans doute sa dernière déclaration, se dit-elle.

— Avant de partir, l'entendit-elle poursuivre, je voudrais citer Emily Dickinson, la poétesse préférée d'une amie très chère : « Nous ne connaissons nos limites que dans l'épreuve mais, aussi élevées soient-elles, nous n'atteindrons jamais le ciel ».

Il marqua un temps d'arrêt et fixa la caméra avec une attention soutenue.

— Merci.

Colombe se demanda à qui s'adressait ce merci. On aurait presque dit qu'il lui rendait le merci qu'elle lui avait adressé au lycée, le jour où elle avait reçu son prix.

Les larmes aux yeux, elle ôta son tablier de cuisine. Il était temps de partir. Elle était prête pour le grand saut. Adieu Davey's, adieu Denver, adieu les moments les plus magiques de sa vie. Demain, une nouvelle vie l'attendait.

12.

Le cœur serré, Colombe inspecta une dernière fois son studio. Bud avait vidé les placards et la commode pendant qu'elle travaillait, fait les malles, et maintenant tout était vide. Cela faisait une heure déjà qu'elle était rentrée et ils étaient fin prêts.

Comme Bud mettait la dernière main au rangement des cartons et du petit mobilier à l'arrière de la camionnette louée pour la circonstance, Colombe jeta un ultime regard à la pièce qui avait abrité des moments merveilleux avec Johnny.

C'était triste de tout abandonner ainsi, mais il ne fallait pas qu'elle s'attendrisse.

Johnny et elle, cela ne pouvait pas fonctionner. Ils n'avaient finalement rien en commun.

Et pourtant !...

Quand ils s'étaient retrouvés, un vrai coup de foudre les avait embrasés. Nus dans les bras l'un de l'autre, ils avaient atteint des sommets qu'elle n'aurait jamais cru possibles... puis ils étaient retombés, consumés. Elle avait regretté que tout aille si vite, mais elle avait eu trop envie de le sentir en elle, d'arriver au bout de son désir...

Colombe sécha une larme au coin de sa paupière. C'était dur, quand même !... Petite consolation, elle n'avait pas échoué sur tous les plans : au nom d'Opticpower, Johnny avait fait des excuses à la jeune mère de Laramie, et c'était un bon point. Quelqu'un ou quelque chose avait dû le faire réfléchir. Malheureusement, ce n'était pas elle. Johnny ne l'avait pas écoutée quand elle l'avait pris à partie devant ses bureaux. C'est à cet instant-là qu'elle avait pleinement réalisé qu'il ne cheminaient pas sur la même route ni dans la même direction.

Il ne restait que Mick dans le studio, et l'ordinateur portable. L'un dans sa cage, l'autre par terre dans un coin. En partant, ils le déposeraient chez Suzanne Doyle. Bud lui avait téléphoné pour avoir son adresse. L'oiseau, bien sûr, était du voyage pour Buena Vista.

En attendant que Bud remonte, Colombe s'assit en tailleur par terre devant l'ordinateur et l'ouvrit. Il fallait qu'elle efface les conversations qu'elle avait eues avec Johnny. Pas qu'elle les relise, qu'elle les efface…

Sourire triste sur le visage, elle songea aux idées qu'ils avaient échangées et se dit que la dernière chose dont elle avait envie ce soir était un retour au pays des souvenirs. Etre dans ce studio vide, plein d'émotions des moments heureux qu'ils avaient vécus était déjà bien assez doulou-reux. l'espace était encore tout imprégné, elle l'aurait juré en tous cas, de l'odeur de Johnny. De ce mélange unique de musc et de virilité, un parfum entêtant qui l'avait ren-due folle.

« Vous avez du courrier ! »

Colombe cligna des yeux. C'était la petite voix élec-tronique.

« Sûrement un message pour Suzanne, la vraie Suzanne », pensa-t-elle.

Elle cliqua sur « Lire » : Mon Dieu, c'était un courrier de Jpd@Opticpower.com

Sujet : « Colombe, lis ceci s.v.p. »

Son sang ne fit qu'un tour.

Comment savait-il qu'elle avait accès au courrier de Suzanne ? Mais alors… il ne pouvait ignorer que c'était elle qui avait rédigé les discours ?

Impossible. Suzanne n'en avait rien dit à personne puisque même les notes d'honoraires devaient être adressées à Opticpower, libellées à son nom.

Colombe, perplexe, essayait de comprendre…

Quand, subitement, un flash lui traversa l'esprit.

Ce matin, juste avant de prendre sa douche, elle avait remarqué que le couvercle de l'ordinateur était entrouvert. A y bien repenser, elle s'était rappelée qu'après l'échange d'e-mail un peu nerveux avec Jpd, elle s'était levée en refermant mal le couvercle.

Tout s'éclairait, maintenant ! Johnny avait lu le message et compris qu'elle était « Suzanne ».

Son cœur se serra.

Il avait dû se sentir trahi.

Mais quand avait-il touché au portable ? Au milieu de la nuit ? Tôt ce matin, quand elle dormait encore ? Si seulement elle avait eu l'idée de débrancher l'ordinateur hier soir, rien de cela ne serait arrivé !

Elle comprenait, maintenant, pourquoi il l'avait regardée avec cet air distant, glacial même, quand il l'avait vue au milieu de la foule ce matin, avant sa déclaration à la presse. Autant dire qu'il avait feint de l'ignorer.

Prenant son courage à deux mains, elle ouvrit le message de Johnny et lut.

« Ma très chère Colombe,

» La nuit dernière, j'ai accidentellement découvert que tu écrivais sous le nom de Suzanne. Au début, je me suis senti trompé. Moi qui te croyais la femme la plus pure, la

172

plus honnête qui soit, je me suis dit que, si tu me trompais, toi, alors le monde entier était pourri.

» Je faisais fausse route.

» J'ai donné une seconde conférence de presse, ce soir, et t'ai ensuite appelée à ton travail. Ils m'ont dit que tu t'en allais. Avant ton départ, je tiens à te faire passer ce message :

Il y a les jours où les oiseaux se retournent
Pas nombreux — juste un ou deux —
Pour jeter un dernier regard derrière eux ».

Colombe lut, relut, apprit par cœur les trois vers. Il les avait choisis dans un poème d'Emily Dickinson.

Un oiseau ou deux...

Etait-ce d'elle et de lui qu'il voulait parler ?

L'espace d'une seconde, elle reprit espoir, mais cette bouffée d'optimisme s'estompa très vite.

« Tout cela n'a plus la moindre importance », se dit-elle. Tout était vraiment fini entre eux. Peut-être voulait-il tout de même lui dire qu'il espérait qu'elle chérirait long-temps, comme lui, les moments précieux qu'ils avaient partagés.

Elle commença à répondre mais changea d'avis. Ils s'étaient tout dit. Il n'y avait rien à ajouter.

Quelques minutes plus tard, la cage de Mick dans une main, l'ordinateur dans l'autre, Colombe faisait un dernier tour dans son modeste appartement. Plus rien ne traînait. Bud avait bien tout emporté.

Passant près de la fenêtre, elle s'arrêta un instant. Une dernière fois. Tous ces mois passés ici, elle s'était souvent tenue là à contempler les étoiles, le front contre le carreau, songeuse, se demandant si sa mère ou son frère partageait le même spectacle au même moment.

A l'avenir, se dit-elle le cœur gros, je regarderai le ciel à Buena Vista et je me demanderai si Johnny partage le même spectacle à Denver. Et s'il se souvient d'une Colombe qui s'est envolée mais qui ne cesse de se retourner pour savoir comment il va.

Un morceau de Loading Data passait à la radio. Guitare, basse, batterie et une fabuleuse voix rugueuse. Du bon rock. Colombe, debout devant sa bibliothèque, battait la mesure du bout du pied sur le parquet. Elle cherchait un livre de comptabilité pour apprendre à mieux gérer la boutique qu'elle avait ouverte à Buena Vista cinq mois plus tôt.

Les belles lettres, c'était le nom écrit comme à la plume au fronton de son magasin, proposait tous les services possibles et imaginables liés à l'écriture. Cela allait de la rédaction d'annonces publicitaires aux revues de presse locale, régionale, nationale et internationale. Cette dernière était d'autant plus gratifiante que c'était l'un des objectifs qu'elle poursuivait quand elle avait commencé ses études à la faculté, mais jamais elle n'aurait osé espérer qu'un jour elle pourrait s'installer dans sa ville natale pour exercer.

Elle avait gardé le contact avec Suzanne Doyle qui, épisodiquement, lui confiait des piges qu'elle acceptait pour lui rendre service et pour ajouter un plus à ses revenus.

Colombe vivait chez sa mère mais, si son affaire continuait sur sa lancée, elle pourrait bientôt songer à s'acheter son propre logis. Où Mick la suivrait, bien sûr.

La guitare baissa d'un ton, laissant toute la place à la voix du chanteur. Une belle voix de grave, chaude et profonde.

174

Depuis l'ouverture de sa boutique, Colombe était d'humeur joyeuse et elle fredonnait souvent. Grâce à la thérapie qu'elle avait entreprise depuis son retour, elle était nettement plus à l'aise pour s'exprimer. Elle parlait donc plus volontiers.

Comme elle chantait depuis un moment, elle réalisa soudain que la voix sur laquelle elle se croyait accordée ne provenait pas de la radio puisque, à cet instant, elle diffusait un spot publicitaire. Si c'était vrai, à qui appartenait cette voix qu'elle accompagnait depuis un moment ?

Elle s'arrêta de chanter, se retourna et resta médusée.

Johnny était sur le seuil de sa boutique, nonchalamment appuyé au chambranle de la porte, et il la regardait en souriant.

Machinalement, elle tendit la main pour baisser le son de la radio puis posa la main sur son cœur qu'elle sentait s'affoler.

C'était trop imprévu. Trop soudain.

Et pourtant, ils se regardaient, émerveillés de se revoir.

Il avait l'air serein, comme lors de cette nuit d'orage où ils avaient fait l'amour dans les flashs des éclairs.

Se sentant flageoler au souvenir de cette nuit d'amour, elle s'agrippa à une étagère.

Il était trop... trop séduisant.

Elle refusait d'y croire... de revoir ce visage qui l'avait fascinée, ces mains qui l'avaient caressée, ce corps qu'elle avait adoré.

Le désir et la crainte lui faisaient mal au ventre.

Elle s'obligea à échapper au magnétisme de son regard, elle le détailla de la tête aux pieds en essayant de lui faire croire qu'elle le prenait de haut. Il s'était vêtu comme autrefois — vieux jean délavé et T-shirt blanc, veste de cuir patiné au col relevé —, mais, malgré cela, il avait quelque chose de... différent.

Elle le fixa de nouveau comme pour chercher l'erreur.

C'était son visage qui avait changé. Son expression. Souriant et détendu, il affichait un air de nonchalance qu'elle lui connaissait autrefois. C'était l'ancien Johnny qu'elle avait devant elle, celui de son enfance, le garçon qui avait volé son cœur depuis qu'elle était toute petite... et qui l'emplissait tout entier, aujourd'hui encore. Son Johnny retrouvé.

— Tu as l'air en forme.

Il avait la voix rauque, presque cassée.

— Toi aussi.

La fluidité de la réponse le surprit. Elle le remarqua et sourit.

— Je suis des séances d'orthophonie, déclara-t-elle avec fierté.

Il plissa le front.

— Je préfère ça ! Je craignais que tu ne sois fâchée contre moi.

— Fâchée ?

Comprenant l'allusion, elle éclata de rire.

— Tu n'as pas perdu ton humour !

Il ne répondit pas mais lui lança un regard renversant.

— Alors !... s'exclama-t-elle, ne sachant trop que dire. Cela fait des lustres que l'on ne s'est vus.

« Six mois, deux semaines, un jour, pour être précise... », pensa-t-elle.

— C'est vrai.

Mon Dieu, comme elle lui en voulait ! Mais comme elle avait envie, aussi, de se jeter dans ses bras ! Cela faisait longtemps qu'elle n'avait pas ressenti un tel bonheur. Hélas, il ne fallait pas qu'elle sombre de nouveau.

176

— Six mois, je crois.

— Oui, je crois que c'est ça, dit-elle, ravie de constater que lui aussi avait compté.

— Alors, reprit-elle, balayant nerveusement le parquet de la semelle de son soulier. Que racontes-tu ?

A cet instant, elle remarqua un camion de déménagement garé devant son magasin.

— C'est à toi ? pouffa-t-elle.

Il jeta un regard par-dessus son épaule.

— Oui.

Oui ?

Un type auquel elle ne voulait plus penser tombait du ciel un beau jour, la mettait sens dessus dessous, puis la décevait ; elle le quittait ; il la suivait, et lui annonçait froidement qu'il déménageait ?... Se rendait-il compte qu'il la faisait souffrir ? Qu'elle n'en pouvait plus d'avoir mal ?

Les bras croisés sur la poitrine, elle se mit à arpenter la boutique.

— A quoi joues-tu ?

— Mais je ne joue pas !

— Alors, vas-tu te décider à me dire ce que tu fabriques, ou va-t-il falloir que je t'extirpe des explications ?

Pris au dépourvu, il se rebiffa.

— L'impertinence fait partie de ta thérapie ?

— Non, j'ai toujours été insolente, mais on ne pouvait pas s'en rendre compte puisque j'étais muette comme une carpe.

Il fit la moue, l'une de ces moues irrésistibles qui la faisait fondre déjà quand elle avait quinze ans.

— Qu'est-ce que c'est que ce camion ? Il est énorme.

— Il faut bien : j'y ai mis tout ce que je possède. J'ai quitté la grande ville, je reviens à Buena Vista...

— Tu reviens ?... Pour de bon ?

Elle se rendit compte qu'elle lui avait coupé la parole mais c'était plus fort qu'elle : elle avait envie de savoir, de comprendre, de parler.

Que de fois elle avait espéré le revoir dans les rues de sa petite ville ! Rêvé qu'ils bavardaient et passaient de longues heures ensemble, et que peut-être — oh ! juste peut-être —, ils auraient une seconde chance.

Mais, chaque fois, elle en restait là, sachant qu'elle se faisait mal inutilement. Sachant que les rêves sont des souhaits qui ne prennent jamais corps.

— Tu as l'intention de rester ici ?

Il opina.

Peut-être était-il malade ?

— C'est pour ta santé ?

Comme il lui lançait un regard énigmatique, elle insista.

— Pour ton souffle au cœur.

Johnny ne savait pas l'accueil qu'il trouverait en entrant aux Belles lettres. La mère de Colombe n'avait pas semblé enchantée de divulguer l'adresse de sa fille à ce Johnny Dayton qui, malgré son succès professionnel, restait, pour les habitants de Buena Vista, le petit caïd de la cité.

A moins que...

Le visage de Johnny s'assombrit.

Peut-être Colombe avait-elle rencontré un autre garçon ? Un garçon chanceux qui l'avait coiffé au poteau...

Ce n'était pas possible. Colombe, avec ses joues roses, ses cheveux blond cendré épinglés haut sur la tête en un chignon de boucles, n'avait pas pu lui faire une méchanceté pareille. Elle était toujours aussi délicieuse, aussi exquise, aussi adorable. Icône magnifique, lumineuse comme de l'or, elle semblait, elle autrefois si fragile, avoir acquis indépendance et force. Sans doute dirigeait-elle maintenant sa vie et son destin de main de maître ?

— Ton souffle au cœur ? répéta-t-elle, visiblement inquiète.

— Oui, murmura-t-il, je reviens soigner mon souffle au cœur...

Il balaya le magasin du regard en quête d'une photo, d'un indice, d'un élément qui signe la présence d'un autre homme dans la vie de Colombe. Il y avait bien une photo de la famille Lee sur un coin du bureau, et une autre de Colombe avec une amie, souriantes toutes les deux. Mais d'homme, point de trace.

— Grâce au ciel, poursuivit-il en la fixant de nouveau, mon coeur bat comme un métronome.

Il fit un pas vers elle qui le regardait, les yeux ronds.

— Je reviens, en fait, pour bâtir un centre de réinsertion pour adolescents en difficulté, le genre d'établissement que Franky aurait pu fréquenter s'il en avait existé à l'époque. A ce propos, Franky et moi avons renoué et j'essaie de le convaincre de revenir travailler ici comme éducateur pour les jeunes.

Johnny ne s'éternisa pas sur ses relations avec son frère. La blessure de l'enfance était encore ouverte et il redoutait de remuer le passé. Aussi, préférant éviter les questions de Colombe concernant son père, prit-il les devants. Après tout ce temps, il avait fait la paix avec lui. Qu'il repose en paix, ajouta-t-il.

— Je vois que tu as toujours plein de projets, siffla Colombe, admirative.

Il approcha encore.

Il flottait dans l'air un parfum de lavande... de cette Provence qu'elle rêvait de visiter. Un parfum qui, déjà, quand il était adolescent, lui faisait tourner la tête.

— J'ai encore un autre projet. Mais il concerne ta mère, celui-là.

— Ma mère ?

— Oui. Je connais des acheteurs de chaînes de grands magasins qui seraient prêts à payer des fortunes les petites maisons de terre cuite qu'elle fabrique. C'est juste une idée que j'ai eue et j'ai l'intention de la creuser.

Colombe, ravie, sourit.

— Il faudrait en discuter avec elle. Fais un saut à la maison, si tu peux.

— Si j'ai pensé à tout cela, c'est que j'ai une proposition à te faire, à toi aussi.

Il était si près d'elle qu'il aurait pu la toucher. Il en avait tellement rêvé… Oh, juste une caresse, une toute petite caresse…

Mais, héroïque, il se retint.

Intriguée, elle haussa un sourcil.

— Le centre de réinsertion auquel je pense pourrait employer quelqu'un qui sait écrire. Une personne capable de concevoir une campagne publicitaire de A à Z, de rédiger des annonces et des lettres d'information, ce genre de choses. Tu vois ?

Elle portait une ravissante robe rose qui laissait deviner, malgré un boutonnage jusqu'au cou, ses courbes de sylphide. S'il ne reculait pas tout de suite, il ne répondait plus de ses actes…

Elle se passa le bout de la langue sur les lèvres.

— Ce serait un travail ponctuel ou un emploi à long terme ?

— Cela reste à négocier. Mais je fais confiance à la personne qui prendra le poste pour poser ses conditions et défendre au mieux ses intérêts, répondit-il.

Sa voix était rauque, son rythme saccadé.

— Elle a la réputation de ne pas mâcher ses mots et de savoir se faire respecter, précisa-t-il.

Colombe sourit, timidement d'abord, puis son visage tout entier s'illumina. Elle venait de comprendre.

— Compte tenu du fait que la dame en question n'a plus sa langue dans sa poche, la première chose qu'elle a envie de te demander est celle-ci : comment se fait-il que tu restes les bras ballants devant elle sans la...

Elle n'eut pas le temps d'achever sa phrase.

Johnny plongea les mains dans son chignon de boucles blondes et dévora ses lèvres. Son baiser fut si ardent, si long, qu'elle dut le repousser pour reprendre son souffle. Jamais il ne l'avait embrassée, serrée dans ses bras avec une telle fougue. Et pourtant...

Comme elle cherchait l'air, il lâcha ses cheveux, prit son visage à deux mains et la fixa. Ses yeux étaient sans doute verts, d'un vert profond, intense, irisé de paillettes d'or qui brillaient, comme chaque fois qu'elle se sentait très, très heureuse.

— La dame ne t'a pas encore dit tout ce qu'elle désire, réussit-elle à murmurer.

Haletant, Johnny l'attira à lui et l'étreignit farouchement. Sans qu'elle cherche à les retenir, ses mains défirent les boutons de la robe, cherchèrent les douces régions qu'elles avaient envie d'explorer. Ses seins, leurs pointes, son cou de cygne... Et il égrena de ses oreilles à sa gorge un chapelet de menus baisers.

Colombe se lova instinctivement dans les bras de son amant retrouvé.

— Tout ce que la dame désire, elle l'aura... Aussi longtemps qu'elle sera à moi.

Encouragée par cette promesse, à son tour Colombe lui chuchota à l'oreille les souhaits et les vœux qu'elle formulait, pour elle et lui, jusqu'à ce que la mort les sépare.

L'oiseau gazouillait.

Johnny redressa la tête en souriant.

— Salut, Mick, dit-il alors, le cœur plein de joie. Il va falloir partager ta maîtresse avec moi, désormais.

Le nouveau visage
de la collection Or

◆

AMOURS D'AUJOURD'HUI

Afin de mieux exprimer sa modernité et de vous séduire encore davantage, votre collection Or a changé de couverture et de nom depuis le 1er mars 1995.

Rassurez-vous, les romans, eux, ne changent pas, et vous pourrez retrouver dans la collection **Amours d'Aujourd'hui** tous vos auteurs préférés.

Comme chaque mois, en effet, vous y attendent des héros d'aujourd'hui, aux prises avec des passions fortes et des situations difficiles...

**COLLECTION
AMOURS D'AUJOURD'HUI :**
Quand l'amour guérit des blessures de la vie...

Chère lectrice,

Vous nous êtes fidèle depuis longtemps?
Vous venez de faire notre connaissance?

C'est pour votre plaisir que nous avons
imaginé un rendez-vous chaque mois
avec vos auteurs préférés, vos
AUTEURS VEDETTE dans les
collections Azur et Horizon.

Les AUTEURS VEDETTE vous
donneront rendez-vous pour de
nouveaux livres vedette.

Pour les reconnaître, cherchez
l'étoile... Elle vous guidera!

Éditions Harlequin

HARLEQUIN

LE FORUM DES LECTEURS ET LECTRICES

CHERS(ES) LECTEURS ET LECTRICES,

VOUS NOUS ETES FIDÈLES DEPUIS LONGTEMPS?

VOUS VENEZ DE FAIRE NOTRE CONNAISSANCE?

SI VOUS AVEZ DES COMMENTAIRES, DES CRITIQUES À
FORMULER, DES SUGGESTIONS À OFFRIR, N'HÉSITEZ
PAS… ÉCRIVEZ-NOUS À:
      LES ENTERPRISES HARLEQUIN LTÉE.
      498 RUE ODILE
      FABREVILLE, LAVAL, QUÉBEC.
      H7R 5X1

C'EST AVEC VOS PRÉCIEUX COMMENTAIRES QUE NOUS
ALLONS POUVOIR MIEUX VOUS SERVIR.

DE PLUS, SI VOUS DÉSIREZ RECEVOIR UNE OU
PLUSIEURS DE VOS SÉRIES HARLEQUIN PRÉFÉRÉE(S)
À VOTRE DOMICILE, NE TARDEZ PAS À CONTACTER LE
SERVICE D'ABONNEMENT; EN APPELANT AU
(514) 875-4444 (RÉGION DE MONTRÉAL) OU 1-800-667-4444
(EXTÉRIEUR DE MONTRÉAL) OU TÉLÉCOPIEUR
(514) 523-4444 OU COURRIER ELECTRONIQUE:
AQCOURRIER@ABONNEMENT.QC.CA OU EN ÉCRIVANT À:
      ABONNEMENT QUÉBEC
      525 RUE LOUIS-PASTEUR
      BOUCHERVILLE, QUÉBEC
      J4B 8E7

MERCI, À L'AVANCE, DE VOTRE COOPÉRATION.

BONNE LECTURE.

HARLEQUIN.

VOTRE PASSEPORT POUR LE MONDE DE L'AMOUR.

COLLECTION HORIZON

Des histoires d'amour romantiques qui vous mènent au bout du monde!

Découvrez la passion et les vives émotions qu'apportent à la Collection Horizon des auteurs de renommée internationale!

Captivantes, voire irrésistibles, ces histoires d'amour vous iront assurément droit au coeur.

Surveillez nos trois nouveaux titres chaque mois!

GEN-H-R

L'ASTROLOGIE EN DIRECT
TOUT AU LONG
DE L'ANNÉE.

(France métropolitaine uniquement)
Par téléphone 08.92.68.41.01
0,34 € la minute (Serveur SCESI).

Composé et édité
PAR LES ÉDITIONS HARLEQUIN
Achevé d'imprimer en novembre 2003

BUSSIÈRE

GROUPE CPI

à Saint-Amand-Montrond (Cher)
Dépôt légal : décembre 2003
N° d'imprimeur : 36578 — N° d'éditeur : 10252

Imprimé en France